C0-AJX-417

¿CON LOS DÍAS CONTADOS?

UN ANÁLISIS DEL AGOTAMIENTO DE LOS MINERALES

FORO EN ECONOMÍA DE MINERALES, vol. II, 2004

EDICIONES UNIVERSIDAD CATOLICA DE CHILE
Vicerrectoría de Comunicaciones y Extensión
Casilla 114-D Santiago, Chile
Fax (56-2)- 635 4789
mriverv1@puc.cl
www.puc.cl/edicionesuc/

¿CON LOS DÍAS CONTADOS?
Un análisis del agotamiento de los minerales.
Foro en Economía de Minerales, Vol. II, 2004
John E. Tilton

Jorgelina Martín, editora de texto
Lyn Bicheno, traductora

Noviembre 2004
I.S.B.N. 956-14-0795-7

Primera edición
1.000 ejs.
Diseño: Publicidad Universitaria
Impresor: Salesianos S.A.

C.I.P. - Pontificia Universidad Católica de Chile
Tilton, John E.
Con los días contados: evaluando la amenaza
del agotamiento de los minerales / John E. Tilton;
traductora Lyn Bicheno
Traducción de: On Borrowed Time.
Incluye bibliografías.
1. Geología económica. 2. Minas–Aspectos
Ambientales. I. Martín, Jorgelina.
2004 333.85 dc.21 RCA2

¿CON LOS DÍAS CONTADOS?

UN ANÁLISIS DEL AGOTAMIENTO DE LOS MINERALES

FORO EN ECONOMÍA DE MINERALES, vol. II, 2004

John E. Tilton

Esta publicación está inserta en el Programa de Investigación en Economía de Minerales de la Pontificia Universidad Católica de Chile en el que participan cerca de 25 profesores de las Facultades de Ingeniería, Ciencias Económicas y Administrativas y Agronomía.

El Programa tiene un Consejo Consultivo Internacional del más alto nivel y se cuenta con el apoyo y participación de numerosas instituciones y empresas: entre las que se encuentran la Escuela de Minas de Colorado, en los Estados Unidos, la Universidad de Queens en Canadá, la Universidad Técnica de Delft en Holanda, el Gobierno de Chile a través del Ministerio de Minería, la Comisión Chilena del Cobre, y la Comisión Nacional de Investigación Científica y Tecnológica de Chile, Conicyt, la Corporación del Cobre de Chile, Codelco, Río Tinto Inc., Placer Dome Latino América, Anglo American y Minera Escondida.

TABLA DE CONTENIDOS

SOBRE EL AUTOR

John E. Tilton es el William J. Coulter Profesor de Economía de Minerales en la División de Economía y Negocios de la Colorado School of Mines, y socio de Resources for the Future. En los últimos 30 años sus intereses docentes y de investigación se han dirigido a temas económicos y de políticas asociados con las industrias de minería y de metales. Sus trabajos más recientes examinan el ambiente y la minería, la sustitución de materiales, las tendencias a largo plazo de la demanda de metales, el reciclaje de metales, las fuentes de crecimiento de la productividad en la minería, y los cambios en las ventajas comparativas en la transacción de metales.

En 1977, el Profesor Tilton trabajó como director de asuntos económicos en la Rama de Minerales y Metales de la Conferencia de las Naciones Unidas sobre Comercio y Desarrollo (UNCTAD) en Suiza. Entre 1982 y 1984, dirigió un programa de investigación sobre comercio y mercados de minerales en el Instituto Internacional de Análisis de Sistemas Aplicados en Austria. Más recientemente, ha sido socio invitado de Resources for the Future, becado senior de Fulbright en la École Nationale Supérieure des Mines en París y socio invitado del Centro de Minería de la Pontificia Universidad Católica de Chile en Santiago. Ha formado parte de varios directorios y comités del National Research Council, incluyendo más recientemente el Panel sobre Contabilidad Ambiental y Económica Integrada, y el Comité para el Estudio de Tecnologías para las Industrias Mineras.

En reconocimiento a sus aportes en el campo de la economía de minerales, recibió el Premio de Economía de Minerales de la Society for Mining, Metallurgy, and Exploration; el Premio por Servicios Distinguidos de la Mineral Economics and Management Society; el cargo de Profesor Invitado N.M. Rothschild en Economía de Minerales en la Curtin University de Australia, y un doctorado honorífico de la Universidad de Tecnología Lulea en Suecia.

SOBRE RESOURCES FOR THE FUTURE Y RFF PRESS

Resources for the Future (RFF) es un organismo que, a nivel mundial, contribuye a mejorar la formulación de políticas sobre el medio ambiente y los recursos naturales a través del auspicio a investigaciones independientes del más alto nivel en Ciencias Sociales.

Fundado en 1952, RFF lideró la aplicación de la economía como herramienta para desarrollar políticas más efectivas respecto al uso y conservación de los recursos naturales. Sus estudiosos continúan empleando métodos propios de las Ciencias Sociales para analizar temáticas críticas sobre el control de la contaminación, la política energética, el uso de la tierra y el agua, los desechos peligrosos, el cambio climático, la biodiversidad y los retos medioambientales de los países en vías de desarrollo.

RFF Press apoya la misión de RFF publicando documentos y libros que brindan una amplia gama de enfoques respecto al estudio de los recursos naturales y el medio ambiente. Sus autores y editores incluyen personal de RFF, investigadores de las comunidades académicas y de instituciones políticas conocidas, y periodistas. Los destinatarios de las publicaciones de RFF abarcan a todos los participantes en el proceso de formulación de las políticas – estudiosos, medios, grupos de promoción y defensa, organismos no gubernamentales, profesionales del sector gubernamental y de negocios, así como el público general.

Resources for the Future
Washington, DC

PREFACIO PARA LA EDICIÓN EN ESPAÑOL

Durante el último año he recibido muy buenos comentarios de lectores de *On Borrowed Time?*, la versión en inglés de *¿Con los Días Contados?*. Muchos han encontrado especialmente útil el libro a efectos de organizar y profundizar la comprensión del debate en curso sobre la amenaza a largo plazo del agotamiento de los minerales.

Por consiguiente, estoy feliz de que este texto esté disponible ahora en español. Después de enseñar durante dos años en el Programa de Investigación en Economía de Minerales de la Pontificia Universidad Católica de Chile, me doy cuenta del interés generalizado que existe en América Latina y España tanto en la minería como en la disponibilidad a largo plazo de los productos minerales. Para México, Chile, Perú, Venezuela, Bolivia, Brasil y España, la minería constituye una actividad económica importante. Aunque presenta desafíos – por ejemplo, en las áreas de la protección medioambiental y el desarrollo sustentable – también promueve el progreso económico a través de inversiones, tecnología, empleo, divisas e ingresos gubernamentales.

Tengo la esperanza de que *¿Con los Días Contados?* sea leído ampliamente por funcionarios gubernamentales, líderes de la industria, académicos, estudiantes y otros interesados en la extracción, producción y uso de productos minerales, y que todo lector obtenga una comprensión más acabada de las temáticas que giran en torno a la disponibilidad a largo plazo de los productos minerales.

Es un placer agradecer a Lyn Bicheno por su cuidadosa y reflexiva traducción del texto al español. También agradezco a Alejandro Tapia por sus útiles comentarios sobre el texto en español, así como a Eileen Pattillo por guiar esmeradamente el manuscrito en el proceso de prepublicación. Finalmente, mi más sincero reconocimiento a Gustavo Lagos, editor del Foro en Economía de Minerales, por brindarme su apoyo y aliento.

John E. Tilton
Santiago de Chile

PRÓLOGO

Desde comienzos de los años 70 me ha intrigado la disponibilidad a largo plazo –período que abarca los siglos por venir– de los recursos minerales. En parte, este interés refleja la importancia de estos recursos para el bienestar humano. Sin suministros adecuados de petróleo, gas natural, carbón, acero, aluminio, zinc, fosfato natural y otros productos minerales, es difícil imaginar la civilización moderna tal como la conocemos. Muchos consideran que esta disponibilidad de recursos es uno de los retos más importantes que enfrenta la humanidad, junto con las guerras nucleares, el crecimiento de la población y la preservación del medio ambiente. Desde luego, estas inquietudes vitales, que comprometen el futuro de la humanidad y del resto del mundo, no son independientes.

Asimismo, encuentro fascinante el tema, porque el debate entre aquellos que están preocupados por el agotamiento de los recursos minerales, a menudo llamados los pesimistas, y aquellos otros despreocupados, los optimistas, parece ser tan fuerte y combativo hoy como lo era hace tres décadas atrás. Me maravillo ante esto – ¿cómo personas inteligentes e informadas pueden permanecer tan divididas sobre un tema tan importante después de décadas de discusiones e investigaciones?

En el transcurso de los años, he intentado a mi manera contribuir a esta discusión, comenzando por un breve libro, *The Future of Nonfuel Minerals* (*El Futuro de los Minerales no Combustibles*), publicado por la Brookings Institution en 1975. Otras publicaciones que he agregado desde entonces a la creciente literatura en este campo están señaladas en la bibliografía. El presente estudio se vale mucho de tales trabajos y en ese sentido no representa una contribución enteramente original. En todo caso, ese no es mi objetivo.

Más bien, estoy tratando de entregar un libro básico y conciso sobre la disponibilidad a largo plazo de los recursos minerales para aquellas personas que no son economistas expertos en recursos o especialistas en campos relacionados. La meta es ofrecer una visión general de las temáticas importantes junto con las herramientas conceptuales necesarias para permitir que el lector obtenga sus propias conclusiones respecto de cuán seria es la amenaza de agotamiento y cuáles son las respuestas políticas más apropiadas. Por supuesto, tengo mis propias opiniones, las que inevitablemente se infiltrarán en este trabajo, aunque he tratado de ser objetivo al discutir sobre los temas controvertidos. La perspectiva es mayormente la de un economista, reflejando mi propia formación y experiencia.

Una versión anterior a este estudio sirvió, como documento y antecedente para el Taller sobre la disponibilidad a largo plazo de los productos minerales, convocado por el Mining, Minerals, and Sustainable Development Project y por Resources for the Future en Washington, DC, el 23 de abril de 2001. Las páginas que siguen se han visto muy beneficiadas por los variados comentarios y sugerencias de los 29 participantes al aludido taller.

En particular, por sus útiles comentarios y sugerencias, agradezco a Robin G. Adams, William M. Brown, Robert D. Cairns, David Chambers, Carol A. Dahl, Joel Darmstadter, Graham A. Davis, John H. DeYoung, Jr., Peter Howie, David Humphreys, Toni Marechaux, Carmine Nappi, Raul O'Ryan, Marian Radetzki, Don Reisman, Brian J. Skinner, John Taylor, y Michael A. Toman. También doy las gracias a Thitisak Boonpramote por su ayuda en la investigación, y a Margaret Tilton por sus sugerencias editoriales.

Finalmente, mis agradecimientos al Mining, Minerals, and Sustainable Development Project por una subvención sin restricciones, y también para la Viola Vestal Coulter Foundation, la Kempe Foundation y Resources for the Future por su apoyo y aliento. Desde luego, es válido hacer la salvedad habitual. Las opiniones vertidas aquí son las mías. Pueden o no coincidir con las de dichas organizaciones.

John E. Tilton
Golden, Colorado

CAPÍTULO 1

EL CAMINO POR DELANTE

La minería y el consumo de recursos minerales no renovables se remontan a la Edad de Bronce, o incluso a la de Piedra. De modo que estos recursos, durante milenios, han hecho mejor, más fácil y segura la vida de las personas.

Lo que es nuevo es el ritmo de explotación de los mismos. La humanidad ha consumido más aluminio, cobre, hierro y acero, fosfato natural, diamantes, azufre, carbón, petróleo, gas natural e incluso arena y grava durante el siglo pasado que durante todos los siglos anteriores. Además, el ritmo continúa acelerándose, de manera que en la actualidad el mundo produce y consume anualmente a velocidades récords casi todos los productos minerales. (ver Recuadro 1-1)

RECUADRO 1-1
NATURALEZA DE LOS PRODUCTOS MINERALES

Es común distinguir tres tipos o clases de productos minerales: combustibles, metales y no metales. Los combustibles incluyen petróleo, gas natural, carbón y uranio, y se valoran por la energía que producen. Los metales se utilizan principalmente como materiales. El hierro y el acero, el aluminio y el cobre son los más importantes, pero también hay muchos otros. Los no metales se usan principalmente para la construcción, otras aplicaciones industriales y la producción de fertilizantes. Incluyen arena y grava, piedra, caliza, azufre, fosfato natural y numerosas otras sustancias.
Aunque todos los productos minerales se elaboran en base a recursos minerales, difieren ampliamente incluso dentro de una misma clase. Por ejemplo, el petróleo y el gas natural se bombean desde pozos, en tanto que el carbón y el uranio se extraen de minas al igual que muchos otros metales. Por otra parte, el magnesio se obtiene del agua de mar. La producción de arena y grava es relativamente poco complicada, en tanto que el procesamiento del cobre y del acero requiere de tecnologías altamente sofisticadas. El molibdeno se recupera principalmente como un subproducto de la minería del cobre, y el plomo se obtiene en gran medida del reciclaje de chatarra vieja. El cobalto se produce solo en unos pocos países y es ampliamente comercializado. Sin embargo, la arena y la grava son fácilmente obtenibles y caros de transportar, de manera que tienen una presencia modesta en el comercio internacional.

Al menos cuatro fuerzas subyacentes están impulsando esta explosión en el uso. Primero, los avances tecnológicos permiten la extracción de cobre, carbón y muchos otros productos minerales a costos cada vez más bajos. Esto hace disminuir los precios y aumentar el consumo. Segundo, los avances tecnológicos también permiten explotar productos minerales nuevos y mejores que respondan a una gama de nuevas necesidades. Por ejemplo, el desarrollo de la hojalata (lámina de acero cubierta por una delgada capa de estaño) condujo al uso generalizado de latas metálicas para conservar alimentos y bebidas. Tercero, el rápido mejoramiento del nivel de vida en muchas partes del mundo está aumentando la demanda de bienes y servicios a todo nivel, incluidos muchos que utilizan productos minerales en forma intensiva en su elaboración. Cuarto, el gran crecimiento de la población mundial significa que hay cada vez más personas con necesidades por satisfacer. De estas fuerzas, solo el crecimiento de la población muestra alguna señal de merma.

Es entendible que el acentuado aumento del consumo y la producción de minerales haya hecho surgir preocupaciones en torno a la disponibilidad a largo plazo de los productos minerales. Dado que los recursos minerales son por naturaleza no renovables, su disponibilidad es limitada.

La Tierra contiene apenas una cierta cantidad de petróleo, cobre y otros productos minerales. Por el contrario, la demanda continúa año tras año. Por consiguiente, muchos creen que es solo cuestión de tiempo antes de que la disponibilidad de recursos minerales se vea amenazada. Se argumenta que si el ritmo de explotación de minerales sigue creciendo, como lo ha hecho durante las últimas décadas, el agotamiento de minerales creará serios problemas, más en el corto que en el largo plazo. Además, a medida que la sociedad se vea obligada a explotar yacimientos de menor ley y más distantes, probablemente aumenten los costos ambientales y otros costos sociales asociados con la producción y el uso de productos minerales, limitando tal vez su uso, incluso antes de agotarse.

Sin embargo, la preocupación respecto de la disponibilidad de largo plazo de los recursos minerales no es universal. En el otro lado del debate se encuentran aquellos que creen que el mercado, junto con políticas públicas adecuadas, serán lo suficientemente fuertes como para contrarrestar cualquier amenaza.

La escasez inminente hace subir el precio de los minerales, lo que, a su vez, desata un sinnúmero de fuerzas compensatorias. Aumenta la exploración, incrementando la probabilidad de nuevos descubrimientos. La investigación y el desarrollo producen nuevas tecnologías que permiten la elaboración de productos minerales en base a recursos que antes eran inutilizables. Se incrementa el reciclaje. Comienzan a utilizarse recursos menos escasos y posiblemente renovables en reemplazo de los minerales que empiezan a agotarse. Los precios más altos también reducen el uso de productos minerales, debido a que los consumidores ya no los pueden costear y porque modifican la combinación de bienes y servicios que adquieren, reduciendo aquellos productos cuyos precios han subido.

Los intereses no son triviales. Los recursos no renovables sí importan. Su disponibilidad a largo plazo tiene consecuencias en la capacidad del mundo de sustentar su población actual, y para qué hablar de ajustarse a futuros incrementos. Asimismo, tiene consecuencias para sostener nuestra civilización moderna. Sin recursos no renovables no habrían teléfonos, televisores ni computadoras. No existirían automóviles, bicicletas, camiones, buses, tractores, buques ni aviones. No habría electricidad. Los altos edificios y las grandes ciudades no podrían existir. La medicina y la ciencia modernas serían desconocidas. Por varios miles de años la humanidad sobrevivió sin el uso de recursos no renovables más allá de las piedras y las rocas, pero ¿con qué calidad de existencia?

Como se verá en el Capítulo 2, el debate sobre la disponibilidad de recursos no es nuevo. Se remonta al menos a 200 años atrás, encontrándose en los economistas clásicos, y especialmente en los últimos 30 años ha experimentado un creciente auge. Sin embargo, gran parte de la literatura reciente es técnica, escrita por economistas, geólogos, ecólogos y otros especialistas en un estilo difícil de entender por muchos lectores interesados en estos temas.

OBJETO Y ÁMBITO

El presente estudio pretende proveer un marco para analizar el debate en curso sobre la disponibilidad de los recursos minerales y revisar la literatura más relevante de manera de hacerlo comprensible para los no especialistas. Trata de responder a diversas preguntas: ¿Qué hemos aprendido? ¿Sobre qué están de acuerdo los expertos actualmente? ¿En qué aspectos continúan discrepando, y por qué? ¿Cuáles son las importantes implicancias de lo que se ha aprendido? En particular, ¿está la civilización moderna – al igual que un marinero a la deriva en un bote salvavidas con sólo agua y comida a bordo para unos pocos días – viviendo con los días contados, a medida que va consumiendo los recursos minerales vitales sobre los que depende su propia supervivencia?

El énfasis está puesto en la disponibilidad de productos minerales en las próximas décadas y siglos, o lo que, con frecuencia, se llama problema de agotamiento o extinción de los minerales. No abordo los inconvenientes de disponibilidad que puedan surgir por motivos distintos al agotamiento del mineral. Las huelgas, carteles, controles de precios y otras políticas gubernamentales, monopolios, climas adversos, accidentes, auges en el ciclo económico e incluso insuficientes inversiones en exploración y desarrollo de minerales, pueden causar, en ciertos momentos, escasez de productos minerales. Dichas carencias son temporales, en casi todos los casos, durando desde unos pocos días hasta, a veces, una década. A pesar de que pueden ocasionar bastantes trastornos y dificultades mientras duran, caen fuera del ámbito de la presente investigación.

TERMINOLOGÍA

Disponibilidad, escasez y déficit son términos que se encontrarán frecuentemente en este estudio. Como se presentará en el Capítulo 3, existen muchas medidas y definiciones de disponibilidad de recursos minerales, las cuales tienen sus limitaciones. Sin embargo, para los fines que me he propuesto, es importante que las tendencias en la disponibilidad reflejen hasta dónde el agotamiento de minerales representa una amenaza creciente al bienestar de la sociedad en el largo plazo. Por este motivo, mido la disponibilidad por lo que hay que sacrificar en términos de otros bienes y servicios para obtener un producto mineral. Los economistas denominan este sacrificio *costo de oportunidad.* De manera que si la disponibilidad de petróleo está disminuyendo, esto implica que, con el tiempo, habrá que prescindir más de otros bienes y servicios para obtener un barril adicional y, a su vez, irá en aumento la amenaza del agotamiento.

El término déficit se usa frecuentemente para reflejar un exceso de demanda sobre la oferta al precio de mercado vigente para un producto específico, como por ejemplo el cobre. Tales situaciones pueden ocurrir si los gobiernos o las empresas controlan los precios. Sin embargo, no son comunes, porque normalmente cuando la demanda supera a la oferta los precios suben, restableciéndose así el equilibrio.

En cualquier caso, esta definición es demasiado limitada para nuestros fines. Si es necesario que aumenten los precios para mantener el equilibrio entre la oferta y la demanda, es probable que los consumidores encuentren cada vez más difícil costear el producto. Para ellos, la oferta es cada vez más limitada y escasa. Por esta razón, definimos los términos déficit y escasez más ampliamente. Un creciente déficit o un aumento en la escasez es simplemente una reducción en la disponibilidad, y puede ocurrir aunque la demanda y la oferta permanezcan en equilibrio debido al aumento de los precios.

También necesitamos distinguir entre recursos minerales y productos minerales, como también entre recursos renovables y recursos no renovables. Los *productos minerales*, como el cobre, se obtienen a partir de recursos minerales tales como calcopiritas y otros minerales que contienen cobre. Los *recursos minerales* son el legado de procesos geológicos que se producen a lo largo del tiempo geológico, medidos no en décadas o siglos sino en cientos de millones de años. Dado que el tiempo requerido para su formación es tan vasto, desde la perspectiva de cualquier escala de tiempo significativa para las personas, los recursos minerales son considerados como *no renovables*. Por el contrario, muchos otros, tales como el agua, el aire, los bosques, los peces y la energía solar, son considerados *renovables*. Los peces capturados en el mar y los árboles talados en los bosques pueden reemplazarse en un período mucho más breve. De manera que su uso actual no necesariamente significa que estarán menos disponibles en el futuro. Sin embargo, hasta dónde es significativa la diferencia entre los recursos no renovables y los renovables es debatible, ya que los recursos renovables, al igual que los no renovables, pueden agotarse si son sobreexplotados. Volveremos a tratar este tema en el Capítulo 7.

ORGANIZACIÓN DEL LIBRO

A continuación de estas precisiones el libro está organizado de la siguiente manera:

El capítulo 2 examina la evolución histórica de las inquietudes en torno a la disponibilidad a largo plazo de los recursos minerales. Revisa los trabajos pioneros de Thomas Malthus, David Ricardo y Harold Hotelling, así como la literatura existente a partir de los años 70, mucho más abundante.

El capítulo 3 identifica distintas medidas utilizadas para evaluar las tendencias de la disponibilidad de recursos en el largo plazo y examina sus fortalezas y debilidades. Considera medidas físicas, tales como las reservas y los recursos totales, además de medidas puramente económicas como costos y precios. Explora los conceptos de costos de uso, agotamiento económico y físico, y asimismo las definiciones de renta ricardiana y renta de Hotelling. Presenta la posibilidad de que pueda haber más disponibilidad de productos minerales a lo largo del tiempo, en lugar de menos.

El capítulo 4, utilizando las medidas descritas en el Capítulo 3, examina las tendencias de la escasez de recursos en el último siglo. Cubre el prestigioso trabajo de Harold Barnett y Chandler Morse sobre los costos de producción, junto con el más reciente de Margaret Slade y otros sobre los precios de los productos minerales. Encuentra que, a pesar de su uso generalizado y acelerado, los recursos minerales no se han vuelto más escasos durante el último siglo.

El capítulo 5 – reconociendo que las tendencias pasadas no necesariamente son una buena guía para el futuro – revisa la disponibilidad de los productos minerales en el corto plazo (los siguientes 50 años) y en el futuro más distante. Examina el trabajo de Brian Skinner sobre la naturaleza geológica de la formación de los yacimientos minerales y las implicancias para su escasez futura. También introduce la curva de oferta acumulativa, una técnica conceptual utilizada para categorizar los diversos factores que configuran las tendencias futuras de la disponibilidad de recursos minerales. El capítulo postula que, con respecto a la disponibilidad de recursos minerales, el futuro remoto es desconocido en estos momentos, lo que ayuda a explicar porqué sigue vigente el debate sobre este tema. Pero también sugiere que la sociedad, si tiene el deseo y la voluntad de cubrir los costos, puede obtener considerable información sobre la perspectiva de futuras escaseces investigando más sobre la naturaleza e incidencia de los yacimientos minerales subeconómicos.

El capítulo 6 aborda los costos ambientales y otros costos sociales asociados con la explotación de minerales y evalúa la amenaza que representan para la disponibilidad de productos minerales en el largo plazo. Examina la capacidad de las políticas públicas de obligar a las empresas productoras de minerales a pagar la totalidad de sus costos de producción, especialmente a la luz de las dificultades para medir los costos sociales y para reglamentar la minería artesanal de pequeña escala. También evalúa la capacidad de las empresas productoras de minerales de reducir los costos – suponiendo que se internalicen todos los costos sociales – a través de nuevas tecnologías y otros medios. El capítulo termina sugiriendo que es probable que los economistas y otros cientistas sociales asuman un papel creciente en los esfuerzos de la sociedad por mantener controlados los efectos negativos del agotamiento de minerales, complementando así los importantes aportes efectuados tradicionalmente por los ingenieros y los científicos físicos.

El capítulo 7 y final, resalta los hallazgos y explora sus implicancias para el desarrollo sustentable, la "contabilidad verde" (*green accounting*), la protección de culturas indígenas y otros bienes sociales; así como para la conservación, los materiales reciclados y los recursos renovables y la población mundial. Entre otras cosas, este capítulo sugiere que el vínculo entre la disponibilidad de recursos minerales y el desarrollo sustentable es mucho más tenue de lo que muchos suponen. La disminución de la disponibilidad de recursos no necesariamente impedirá el desarrollo sustentable, como tampoco lo asegurará una creciente disponibilidad de recursos.

Después del Capítulo 7 vienen un anexo escrito por Peter Howie y un glosario. El anexo muestra las tendencias en los precios reales desde 1870 para el petróleo, gas natural, carbón, mineral de hierro, cobre y otros productos minerales importantes. El glosario define brevemente muchos de los términos más técnicos utilizados en este libro.

Además, en muchos capítulos, se entrega información complementaria en recuadros separados del texto principal. Este material brinda ejemplos específicos de los puntos que se están tratando, describe conceptos importantes que tal vez no sean familiares para algunos lectores y proporciona material que complementa el análisis del texto principal. Las notas y referencias se presentan al final de cada capítulo.

CAPÍTULO 2
EVOLUCIÓN DE LAS PREOCUPACIONES

El déficit de los recursos, y supuestamente las preocupaciones en torno a la disponibilidad de los mismos, se remontan a tiempos muy lejanos. Por ejemplo, hace unos 3.000 años, filisteos, dorios y otros invadieron la zona este del Mediterráneo. Durante casi un siglo, cortaron las rutas comerciales que suministraban a Grecia el estaño que necesitaba para elaborar bronce. Según Maurice y Smithson (1984), el déficit resultante impulsó a los griegos a desarrollar los medios para producir hierro y, de este modo, contribuyeron a que en Europa se pusiera término a la Edad del Bronce y comenzara la Edad del Hierro.

Pueden encontrarse otros ejemplos de preocupaciones previas relacionadas con la disponibilidad de recursos. Sin embargo, para nuestros fines basta comenzar con los economistas clásicos de fines del siglo XVIII y comienzos del XIX.

ECONOMISTAS CLÁSICOS, 1798-1880

Entre los economistas clásicos, Thomas Malthus es el más conocido por sus puntos de vista sobre la disponibilidad de recursos y la condición humana. Su primer trabajo publicado, *Ensayo sobre el Principio de la Población*, apareció anónimamente en 1798 y luego fue reeditado durante su vida y bajo su nombre en cinco ediciones posteriores. En este influyente tratado, Malthus arguye que la población dejada sin control tiende a crecer continuamente, en tanto que la tierra cultivable es limitada. A medida que aumenta la cantidad de mano de obra que trabaja la tierra disponible, el rendimiento por trabajador decae hasta alcanzar un nivel apenas suficiente para sustentar la vida. En ese punto, la miseria o el vicio impiden que la población siga creciendo. En su segunda edición, Malthus introduce la posibilidad de que una "restricción prudencial" podría limitar el crecimiento de la población antes de que los niveles de vida desciendan a nivel de subsistencia. A pesar de esta importante salvedad, el público generalmente asocia a Malthus con una visión pesimista acerca de las perspectivas del bienestar humano. En efecto, gracias en parte a sus escritos, a través de los años la economía a menudo ha sido tildada de "ciencia lúgubre".

David Ricardo amplía el análisis de Malthus en su libro *Principios de Economía Política y Tributación*, publicado por primera vez en 1817. Lo más importante es que toma en cuenta la diferencia de calidad entre las tierras agrícolas. Supone que la tierra mejor o más fértil es la que se trabaja primero. A medida que aumenta la población y crece la demanda de alimentos, se comienzan a trabajar tierras de peor calidad. Al aumentar los precios de los alimentos para cubrir los costos más altos de trabajar los campos marginales, los dueños de las tierras más fértiles ganan un superávit, conocido comúnmente como *renta económica* o *renta ricardiana*.[1] El rendimiento por trabajador también disminuye, al igual que en el mundo de Malthus. Sin embargo, el motivo de esta disminución es la inferior calidad de las nuevas tierras puestas en producción, en lugar de la adición de más trabajadores a una cantidad dada de tierra (de calidad similar).

Mientras Malthus ignora la minería y los recursos no renovables, Ricardo señala que los yacimientos minerales varían en calidad, al igual que la tierra. Por consiguiente, afirma que su análisis de la tierra es igualmente aplicable a los minerales. También reconoce que es posible descubrir nuevos yacimientos minerales y desarrollar nuevas tecnologías de explotación. Sin embargo, es interesante que no considere la naturaleza agotable de las minas y, de este modo, deja de lado lo que muchos consideran es la diferencia fundamental entre los recursos no renovables y los renovables.

En cierta forma, Ricardo es a la vez más y menos pesimista que Malthus. En sus análisis, una reducción en la disponibilidad de recursos hará disminuir la productividad laboral, lo que ocurrirá ya sea inmediatamente o al momento en que se ponga en producción por primera vez la tierra de peor calidad. Según Malthus, los problemas surgen sólo después de que está en uso toda la tierra agrícola disponible. Por el contrario, en el mundo de Ricardo siempre es posible poner en producción nuevas tierras en tanto se tolere una baja en la fertilidad.

John Stuart Mill, el último de los economistas clásicos que consideramos, desarrolla los puntos de vista tanto de Malthus como de Ricardo en su libro *Principios de Economía Política*, que apareció por primera vez en 1848. Mill arguye que la escasez ricardiana, derivada de la necesidad de explotar tierras de menor fertilidad, probablemente ocurrirá mucho antes de poner en producción toda la tierra disponible para la agricultura. De hecho, sostiene que la tierra disponible para la agricultura es mucho más extensa de lo que supone Malthus. También arguye que los efectos negativos de un crecimiento incontrolado de la población podrían alentar a las personas a limitar el número de hijos antes que los niveles de vida desciendan al nivel de subsistencia. Reconoce también que la tendencia a que la escasez de

1 Es útil pensar en la renta ricardiana como la suma que pagaría un agricultor arrendatario a su arrendador por el uso de su tierra. A mayor fertilidad de la tierra, mayor sería la disposición del arrendatario a pagar más y mayor sería lo exigido por el arrendador.

recursos reduzca los niveles de vida puede contrarrestarse por medio de la nueva tecnología. Por estas razones, su visión de la condición humana es más optimista que la de Malthus y Ricardo.

EL MOVIMIENTO CONSERVACIONISTA, 1890-1920

La preocupación sobre la disponibilidad de recursos fue continuada, hacia fines del siglo XIX, por el movimiento conservacionista. La industrialización, junto con el cierre de la frontera de EE.UU. y la rápida explotación de las vastas extensiones de bosques vírgenes, fomentó esta tendencia, la que, en gran medida, era un movimiento político y social.[2] A diferencia de Malthus, Ricardo y Mill, los líderes del movimiento conservacionista no eran economistas. Algunos, como Theodore Roosevelt y Gifford Pinchot, eran figuras públicas; muchos otros, científicos naturales.

Por consiguiente, en la considerable literatura asociada con el movimiento conservacionista no hay asomo de alguna base económica coherente. La reducción de la oferta física se equipara directamente con una disminución de la disponibilidad de recursos, como tan bien ilustra el siguiente extracto, frecuentemente citado, de *La Lucha por la Conservación* (Pinchot 1910, 123-124):

> *Los cinco materiales absolutamente esenciales en nuestra civilización son la madera, el agua, el carbón, el hierro y los productos agrícolas... Contamos con madera para menos de treinta años al ritmo actual de tala. Las cifras indican que nuestras demandas sobre el bosque han aumentado el doble más rápido que nuestra población. Contamos con carbón antracita para sólo cincuenta años, y carbón bituminoso para menos de doscientos. Nuestras existencias de mineral de hierro, petróleo y gas natural se están agotando rápidamente, y muchos de los grandes yacimientos ya están agotados. Recursos minerales como éstos, una vez que desaparecen, están desaparecidos para siempre.*

El movimiento conservacionista, a diferencia de los economistas clásicos, visualizó los recursos naturales y la naturaleza en forma más multidimensional, considerando sus diversos componentes en forma interdependiente y como un todo mucho más complejo. De este modo, nuestra crítica dependencia de la naturaleza no sería tan solo económica, sino también psicológica e incluso espiritual. La naturaleza en su maravilla promovería valores humanos. La conservación estaría dada por el uso prudente de los recursos, lo que trascendería el concepto económico de

2 Esta sección se basa en gran parte en el interesante capítulo (Capítulo 4) sobre el movimiento conservacionista encontrado en Barnett y Morse 1963, el que, a su vez, recurre a Hays 1959.

eficiencia. Implicaría usar, de ser posible, recursos renovables en lugar de no renovables, recursos no renovables más abundantes en lugar de recursos renovables menos abundantes, y productos reciclados en lugar de recursos primarios. Muchas de estas ideas siguen vigentes en los escritos de los ecologistas actuales.

Mientras el movimiento conservacionista estuvo mayormente concentrado en Norteamérica durante el período 1890-1920, surgieron preocupaciones similares en otros países en vías de industrialización y en otros tiempos. W. Stanley Jevons (1865), por ejemplo, advirtió al Reino Unido que sus limitados recursos de carbón amenazaban su crecimiento industrial futuro.

LA SEGUNDA GUERRA MUNDIAL Y EL PERÍODO INICIAL DE LA POSGUERRA, 1940-1965

Durante los años 30, el mundo estaba preocupado mayormente por la Gran Depresión. Hacia fines de esa década y durante la primera mitad de los 40', volvieron las inquietudes en torno a la disponibilidad de recursos, pero se centraron en el tema más inmediato: la obtención de suficientes suministros para la guerra. Sin embargo, muy poco después de la guerra, la disponibilidad de recursos minerales en el largo plazo volvió a adquirir preeminencia mientras el mundo examinaba las implicancias, primero de la reconstrucción y luego del desarrollo económico de largo plazo. En los EE.UU., estas preocupaciones llevaron a la creación de la *U.S. President's Materials Policy Commission* (Comisión de Política de Materiales del Presidente de los EE.UU.) conocida más comúnmente como la Comisión Paley, por su presidente William S. Paley. La comisión, publicó un contundente informe de cinco volúmenes en 1952 y evaluó la suficiencia de los recursos minerales en el mundo para responder a las necesidades futuras. Citando del Volumen 1:

> *La naturaleza del problema tal vez pueda simplificarse al máximo diciendo que el consumo de casi todos los materiales está expandiéndose a tasas compuestas y, por ende, está ejerciendo presiones cada vez más fuertes sobre los recursos que, independiente de cualquier otra cosa que puedan estar haciendo, no están expandiéndose en forma similar. Este Problema de Materiales no es, entonces, el tipo de problema de "déficit", local y transitorio, que en el pasado ha encontrado su solución a través de cambios en los precios que han vuelto a equilibrar la oferta y la demanda. Los términos del Problema de Materiales que enfrentamos hoy son más grandes y generalizados. (U.S. President's Materials Policy Commission 1952, 2).*

El informe de la Comisión Paley impulsó a la Fundación Ford en 1952 a proporcionar los fondos necesarios para establecer *Resources for the Future* (Recursos para el Futuro), un organismo sin fines de lucro destinado a la investigación y educación en el desarrollo, conservación y uso de los recursos naturales. Durante las siguientes décadas, *Resources for the Future* patrocinó varios estudios sobre la disponibilidad de los recursos minerales a largo plazo, incluido el influyente estudio de Barnett y Morse (1963), uno de los dos trabajos importantes que moldearon el debate durante la última mitad del siglo XX sobre la disponibilidad a largo plazo de los recursos minerales.[3] El otro, que se discute al final de este capítulo, es el artículo de Harold Hotelling (1931), "La Economía de los Recursos Agotables".

Barnett y Morse hacen una clara distinción entre la disponibilidad física de los recursos y la escasez económica. Durante la última mitad del siglo XIX, por ejemplo, el suministro actual y potencial de aceite de ballena disminuyó a medida que muchas especies de este cetáceo eran cazadas casi hasta su extinción. Sin embargo, el desarrollo de productos derivados del petróleo y la electricidad de bajo costo cubrieron las necesidades previamente satisfechas por el aceite de ballena y esto impidió que esta disminución física produjera una escasez económica.

Utilizando medidas de escasez económica, Barnett y Morse encuentran que tanto los recursos renovables como los no renovables –pero en especial los recursos minerales no renovables– llegaron a estar más, y no menos, disponibles entre 1870 y 1957 (el período que examinaron), a pesar de la explosión del uso de recursos durante el siglo XX. En gran parte, responsabilizan de este resultado favorable a la capacidad del cambio tecnológico de contrarrestar los efectos negativos del agotamiento de recursos. Este hallazgo sorprendente, que contrastaba absolutamente con los conocimientos de la época, estimuló un auge de las investigaciones en este campo.[4] Volveremos al estudio de Barnett y Morse y a la literatura posterior que gestó en el Capítulo 4.

LÍMITES AL CRECIMIENTO Y COSTOS SOCIALES, 1970-2000

A menudo se sostiene que, para las inversiones, la oportunidad lo es todo. Lo mismo puede decirse, al menos en ocasiones, de las publicaciones académicas. En 1972, Donella H. Meadows y sus colegas publicaron su libro *Los Límites del Crecimiento*. Utilizando una técnica analítica llamada de *sistemas dinámicos*, construyeron un modelo que genera escenarios de mundos futuros. En el escenario base

3 Una muestra de otros estudios sobre la disponibilidad de recursos que *Resources for the Future* ha patrocinado a lo largo de los años incluye a Adelman 1973; Bohi y Toman 1984; Darmstadter y otros 1977; Herfindahl 1959; Kneese y otros 1970; Landsberg y Schurr 1968; Landsberg y otros 1963; Manners 1971; Manthy 1978; Potter y Christy 1962; y Smith 1979.

4 El Capítulo 2 de Barnett y Morse 1963, titulado "Contemporary Views on Social Aspects of Resources" (Puntos de Vista Contemporáneos sobre Aspectos Sociales de los Recursos), contiene un interesante estudio sobre los puntos de vista gubernamentales y los de diversas disciplinas (naturalismo, ecología, demografía, ciencias políticas y economía) vigentes en el momento que se escribió este libro.

–el que estiman más probable de desarrollarse de no mediar políticas públicas correctivas– prevén que, para mediados del siglo XXI, habrá un colapso de los alimentos y de la producción industrial per cápita como resultado del agotamiento de los recursos minerales. Aunque los economistas y otros criticaron severamente este estudio por sus medidas de la disponibilidad de recursos (como se explicará en el Capítulo 3) y otras deficiencias, de todos modos fue ampliamente leído y ejerció gran influencia, gracias en parte a lo oportuno de su publicación.

Poco después de la aparición del libro, las naciones del Medio Oriente pertenecientes a la Organización de Países Exportadores de Petróleo (OPEP) impusieron una prohibición a las exportaciones de petróleo hacia los EE.UU. y los Países Bajos por su apoyo a Israel durante la Guerra del Medio Oriente de 1973. Simultáneamente, la OPEP en su conjunto logró que el precio mundial del petróleo se triplicara al retener las exportaciones. Los precios de muchos otros productos minerales también subieron acentuadamente en paralelo con el auge económico de Japón, Norteamérica y Europa Occidental.

Naturalmente, el déficit temporal causado por las prohibiciones, carteles y auges económicos no necesariamente significan que el agotamiento sea el problema. Con todo, los trastornos, aunque temporales, fueron dolorosos y se agravaron en parte por los controles de mercado en algunos países consumidores que impidieron que los precios de los productos subieran a sus niveles de equilibrio del mercado. Estos problemas centraron la atención del público en la disponibilidad de recursos en general y en *Los Límites del Crecimiento* en particular. Muchos vieron los trastornos de comienzos de los 70' como una primera advertencia de que el agotamiento estaba por venir – junto con déficits más permanentes y serios.

Sin embargo, la escasez tan esperada no ocurrió entre los años 80 y 90, durante los cuales el precio del petróleo, carbón, gas natural, mineral de hierro, aluminio, cobre y muchos otros productos minerales de hecho disminuyeron, apuntando a un crecimiento más que a una merma de la disponibilidad de recursos. Así, los temores respecto del agotamiento de recursos, aunque no se evaporaron por completo, sí se calmaron. Estos fueron reemplazados por preocupaciones crecientes en torno a la contaminación ambiental y otros costos sociales, tales como la pérdida de la biodiversidad, de las culturas indígenas y de los territorios vírgenes asociados con la extracción, el procesamiento y el uso de minerales. Las siguientes citas reflejan este cambio en las preocupaciones:[5]

> *La diferencia entre la raza emergente de ambientalistas ("astronautas") y la raza más antigua de los neomaltusianos es que estos últimos en gran parte no se dieron cuenta de que el ambiente en sí es un recurso limitado.*

5 Escritores anteriores previeron la preocupación sobre la restricción ambiental a la explotación de recursos de los años 90. (p.ej., Brooks y Andrews 1974)

Los neomaltusianos más que nada enfatizaban la potencial escasez de los recursos... Muchas personas, y me incluyo entre ellas, creen que, dado un mercado razonablemente libre, en general es posible confiar que la tecnología encontrará un sustituto para casi cualquier insumo que implique recursos materiales escasos (con excepción de la energía misma). Sin embargo, no existen sustitutos tecnológicamente razonables para la estabilidad climática, el ozono de la estratósfera, el aire, el agua, la capa vegetal superior, la vegetación – especialmente los bosques – o la diversidad de las especies. En cada caso, su pérdida total sería catastrófica, y tal vez letal, para la raza humana. Aunque la tecnología puede crear (y el dinero puede comprar) muchas cosas, no puede crear un sustituto para la atmósfera o la biósfera. El optimismo tecnológico, en este sentido, está simplemente equivocado. (Ayres 1993, 195).

A fines del siglo XX, nos enfrentamos a dos amenazas estrechamente relacionadas. Primero está el ritmo creciente al que estamos consumiendo recursos minerales, los materiales básicos sobre los que depende la civilización. Aunque aún no hemos experimentado un déficit de minerales a nivel mundial, esto está en el horizonte. Segundo está la contaminación creciente causada por la extracción y consumo de recursos minerales, que amenaza con transformar a la superficie de la Tierra en inhabitable. Bien podemos preguntarnos cuál de éstos será el primero en limitar el mejoramiento continuo de nuestro nivel de vida. (Kesler 1994, iii).

Otro ejemplo interesante de este cambio es *Más Allá de los Límites del Crecimiento* (Meadows y otros 1992), una continuación de *Los Límites del Crecimiento*, escrito para el vigésimo aniversario de la publicación de este último. Al igual que el volumen original, *Más Allá de los Límites del Crecimiento* utiliza un modelo de sistemas dinámicos para generar escenarios del futuro. El escenario base en ambos estudios prevé que la civilización moderna colapsará durante el siglo XXI. Sin embargo, en *Más Allá de los Límites del Crecimiento*, la causa del colapso es el daño ambiental derivado de la producción y el uso de recursos, más que del agotamiento de los mismos.

HOTELLING Y LA TEORÍA DE LOS RECURSOS AGOTABLES

Aunque la discusión precedente nos trae al presente, omite un suceso importante que gestó Harold Hotelling (1931) con su artículo "La Economía de los Recursos Agotables". En este trabajo (que examinamos al final de esta revisión dada su importancia y complejidad) Hotelling explora la producción óptima a lo largo del tiempo de una mina con una cantidad dada de recursos conocidos. Para simplificar el problema, parte de seis supuestos básicos:

1. La meta u objetivo de la mina es maximizar el valor presente (ver Recuadro 2-1) de sus utilidades actuales y futuras.
2. La mina es perfectamente competitiva y, por ende, no tiene control sobre el precio que recibe por su producción.
3. No existe incertidumbre, de manera que la mina conoce el tamaño y la naturaleza de su *stock* de recursos, además de los costos y precios actuales y futuros.
4. La producción de la mina no está limitada por la capacidad existente u otras restricciones, lo que permite que la misma produzca desde cero hasta el total del remanente de su *stock* de recursos durante cualquier período de tiempo dado.
5. *El stock* de recursos de la mina es homogéneo, de manera que su ley y otras cualidades no varían.
6. No existen cambios tecnológicos.

En estas condiciones, Hotelling muestra que las empresas que explotan un *stock* de recursos agotables se comportan en forma distinta que las de otras industrias donde no hay restricción de insumos en el largo plazo. Siguiendo los principios de cualquier texto de introducción a la economía, estos últimos maximizan el valor presente de sus utilidades expandiendo su producción durante cada período hasta el punto en que el costo extra o marginal de producir una unidad adicional equivale justamente al precio de mercado vigente. En ese punto, cualquier expansión de la producción no aumentará las utilidades y tal vez pueda reducirlas a medida que el costo de producir más iguale o supere el ingreso adicional que ganan las empresas.

RECUADRO 2-1.
VALOR PRESENTE

Un dólar recibido hoy vale más que un dólar recibido en uno o diez años más, porque el dólar recibido hoy puede invertirse y ganar una tasa de rentabilidad, o interés, durante el año o la década siguiente. Los estudios en economía y finanzas utilizan el concepto de *valor presente* para determinar el valor actual de los ingresos que serán percibidos o los gastos en que se incurrirá en el futuro. Este concepto toma el ingreso o gasto futuro y lo descuenta del valor temporal del dinero para determinar su valor presente. Por ejemplo, si el valor temporal del dinero (aproximado por el interés que puede ganarse en una inversión sin riesgo) es 5 % anual, entonces el valor presente de un dólar de ganancia para el año siguiente será de 95 centavos (o un dólar dividido por 1,05). Y el valor presente de un dólar de ganancias en cinco años será 78 centavos (o un dólar dividido por $1{,}05^5$). Así, tomando un flujo de ingresos netos (ingresos menos gastos) durante los años venideros, se puede calcular su valor presente.

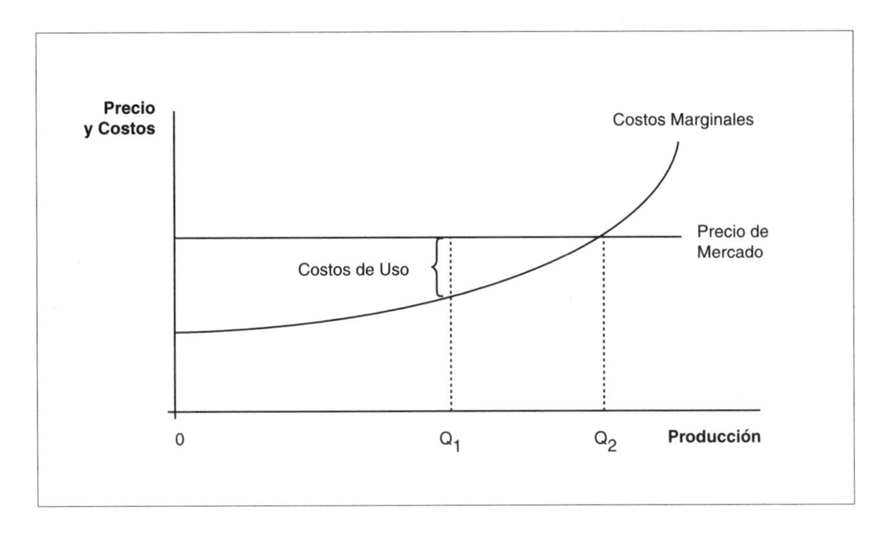

FIGURA 2-1
PRECIO DE MERCADO Y PRODUCCIÓN ÓPTIMA PARA UN PRODUCTOR
DE PRODUCTOS MINERALES

Por el contrario, las empresas de recursos tienen que tomar en cuenta que cada unidad de producción actual significa menos ganancia en el futuro. En un mundo donde el mineral es homogéneo (como supone Hotelling), un aumento de la producción en una unidad hoy trae como resultado una reducción de la producción en una unidad durante el período final de operaciones, y la consiguiente pérdida de beneficios asociada con esa unidad. En un mundo donde el mineral es heterogéneo (es decir, donde algunos minerales son más baratos de explotar y procesar que otros) un aumento en la producción actualmente significa que en el futuro se deberán explotar recursos de peor calidad, a costos más altos y utilidades más bajas.

De manera que, además de los costos de producción de una unidad adicional, existen costos de oportunidad, comúnmente conocidos como *costos de uso*, que equivalen al valor presente de las utilidades futuras perdidas. Por consiguiente, una empresa de recursos tiene el incentivo de expandir su producción durante algún período en particular únicamente hasta el punto de que los costos adicionales o marginales de producir una unidad adicional más los costos de uso equivalgan al precio de mercado. La Figura 2-1 ilustra esta diferencia. Una empresa con un *stock* de recursos fijo produce a Q_1. Una empresa sin insumos fijos expande su producción a Q_2.

Dado que los costos de uso son el valor presente de las utilidades futuras perdidas, asociadas con el hecho de aumentar la producción actual en una unidad, también reflejan el valor presente de las utilidades futuras adicionales de una empresa que tuviera los recursos adicionales requeridos para producir una unidad más de producción. Esto significa que los costos de uso miden el valor actual de una unidad adicional de un recurso mineral no explotado. Además, en el mundo de Hotelling, donde el *stock* de recursos minerales es homogéneo, los costos de uso, multiplicados por los recursos minerales disponibles, da el valor actual del *stock* total del recurso mineral no explotado.

Hotelling también señala que los recursos minerales no explotados constituyen activos y, por ende, según sus supuestos, deberían ganar una tasa de rentabilidad (r) comparable a otros tipos de activos con riesgos similares. Si éste no fuera el caso – si la tasa de rentabilidad de los recursos minerales fuera menor que aquella de otros activos comparables – a sus propietarios les convendría extraer y vender dichos activos lo más pronto posible e invertir las utilidades resultantes en otros activos cuya rentabilidad fuera más alta. Este comportamiento, que haría que los precios de los minerales bajaran en el período actual y subieran en períodos posteriores (cuando hubiera menos disponibilidad), continuaría hasta que la tasa de rentabilidad derivada de mantener los recursos minerales sin explotar llegara a igualar la tasa de rentabilidad de otros activos comparables. Por el contrario, si la tasa de rentabilidad de los recursos minerales fuera mayor que la de otros activos comparables, los propietarios de los recursos minerales estarían renuentes a explotarlos. Esto haría subir los precios actuales y bajarían los precios futuros, y a la vez haría disminuir la tasa de rentabilidad ganada por mantener los recursos minerales sin explotar hasta que dicha tasa alcanzara la de los otros activos.

Este hallazgo teórico tiene implicancias importantes para la disponibilidad de minerales. Específicamente, prevé que los recursos minerales sin explotar debieran tornarse menos disponibles a medida que su valor o precio aumentara exponencialmente a lo largo del tiempo a la tasa de r %, en que r es la tasa de rentabilidad de otros activos comparables en el mercado.

Durante varias décadas, el artículo de Hotelling llamó poco la atención. Sin embargo, desde los años 60, algunas de las mejores mentes en el campo de la economía se han centrado en este tema, atraídas en parte por el reto de resolver complejos problemas de optimización intertemporales utilizando los nuevos adelantos de las matemáticas avanzadas. La literatura resultante (revisada en Peterson y Fisher 1977, Bohi y Toman 1984, Krautkraemer 1998 y Neumayer 2000) relaja muchos de los supuestos de Hotelling. También amplía, a la luz de la naturaleza finita de los recursos, el ámbito desde el comportamiento óptimo para una mina específica hasta el comportamiento óptimo para la sociedad en su conjunto. Estos trabajos más recientes toman en cuenta un sinnúmero de factores: la exploración y descubrimiento de nuevos yacimientos minerales, cambios tecnológicos desde la exploración hasta la reutilización de productos minerales, yacimientos con diferentes leyes y calidades, la incertidumbre y los conocimientos imperfectos, el reciclaje, el poder de mercado que permite que las empresas tengan cierto control sobre los precios y se planteen objetivos distintos a la maximización del valor presente de las utilidades actuales y futuras.

No es sorprendente que al relajar los supuestos de Hotelling se modifiquen sus hallazgos. Ya no es necesario que el valor de los recursos minerales sin explotar tenga que aumentar a *r* % a través del tiempo. De hecho, con la exploración y las nuevas tecnologías, el valor de los recursos minerales sin explotar incluso puede disminuir, sugiriendo que la disponibilidad de recursos esté aumentando. No obstante, el artículo de Hotelling y los trabajos posteriores que estimuló tienen un papel relevante en nuestra comprensión respecto de la disponibilidad de recursos minerales a largo plazo. En particular, volveremos a Hotelling y a otros trabajos sobre la teoría de los recursos agotables en los dos capítulos siguientes.

REFERENCIAS

Adelman, M. A. (1973). **The World Petroleum Market**. Baltimore, Johns Hopkins for Resources for the Future.

Ayres, R. U. (1993). "Cowboys, cornucopians and long-run sustainability". **Ecological Economics.** 8: 189-207.

Barnett, H. J. and C. Morse (1963). **Scarcity and Growth**. Baltimore, Johns Hopkins for Resources for the Future.

Bohi, D. R. and M. A. Toman (1984). **Analyzing Nonrenewable Resource Supply.** Baltimore, Johns Hopkins for Resources for the Future.

Brooks, D. B. and P. W. Andrews (1984). "Mineral resources, economic growth, and world population". *Science* 185: 13-19.

Darmstadter, J. and others (1977). **How Industrial Societies Use Energy: A Comparative Analysis**. Baltimore, Johns Hopkins for Resources for the Future.

Fisher, A. C. (1979). Measures of natural resource scarcity. **Scarcity and Growth Reconsidered.** V. K. Smith, ed. Baltimore, Johns Hopkins for Resources for the Future: 249-275.

Hays, S. P. (1959). **Conservation and the Gospel of Efficiency: The Progressive Conservation Movement, 1890-1920.** Cambridge, MA, Harvard University Press.

Herfindahl, O. C. (1959). **Copper Costs and Prices: 1870-1957**. Baltimore, Johns Hopkins for Resources for the Future.

Hotelling, H. (1931). "The economics of exhaustible resources". **Journal of Political Economy** 39(2): 137-175.

Jevons, W. S. (1865). **The Coal Question**. London, Macmillan.

Kesler, S. E. (1994). **Mineral Resources, Economics and the Environment**. New York, Macmillan.

Kneese, A.V. (1970). **Economics and the Environment: A Materials Balance Approach.** Baltimore, Johns Hopkins for Resources for the Future.

Krautkraemer, J. A. (1998). "Nonrenewable resource scarcity". **Journal of Economic Literature** 36: 2065-2107.

Landsberg, H. H. and S. H. Schurr (1968). **Energy in the United States: Sources, Uses, and Policy Issues.** Baltimore, Johns Hopkins for Resources for the Future.

Landsberg, H. H. and others (1963). **Resources in America's Future: Patterns of Requirements and Availabilities, 1960-2000.** Johns Hopkins for Resources for the Future.

Manners, G. (1971). **The Changing World Market for Iron Ore, 1950-1980.** Baltimore, Johns Hopkins for Resources for the Future.

Manthey, R. S. (1978). **Natural Resource Commodities-A Century of Statistics**. Baltimore, Johns Hopkins for Resources for the Future.

Maurice, C. and C. W. Smithson (1984). **The Doomsday Myth: 10,000 Years of Economic Crises**. Stanford, CA, Hoover Institution Press.

Meadows, D. H. and others (1972). **The Limits to Growth.** New York, Universe Books.

Meadows, D. H. and others (1992). **Beyond the Limits**. Post Mills, VT, Chelsea Green Publishing.

Neumayer, E. (2000). "Scarce or abundant? The economics of natural resource availability". **Journal of Economic Surveys** 14(3): 307-335.

Peterson, F. M. and A. C. Fisher (1977). "The exploitation of extractive resources: a survey". **Economic Journal** 87: 681-721.

Pinchot, G. (1910). **The Fight for Conservation**. New York, Doubleday, Page and Company.

Potter, N. and F. T. Christy, Jr. (1962). **Trends in Natural Resource Commodities: Statistics of Prices, Output, Consumption, Foreign Trade, and Employment in the United States.** Baltimore, Johns Hopkins for Resources for the Future.

President's Materials Policy Commission (1952). **Resources for Freedom, Volume I-Foundations for Growth and Security**. Washington, DC, U.S. Government Printing Office.

Smith, V. K., ed. (1979) **Scarcity and Growth Reconsidered.** Baltimore, Johns Hopkins for Resources for the Future.

CAPÍTULO 3

MEDIDAS IMPERFECTAS

Hay muchas formas de medir la disponibilidad de recursos. Aunque ninguna es perfecta, algunas son mejores que otras. En este capítulo, primero se considerarán las medidas total o mayormente físicas. Estas son a las que se refiere a menudo la literatura y tienen un considerable atractivo intuitivo. A continuación se revisarán aquellas medidas de tipo económico. Aunque todas las medidas económicas tienen falencias, veremos que son más útiles que las medidas físicas para evaluar la amenaza del agotamiento de los minerales a largo plazo. Por consiguiente, en el Capítulo 4 nos basaremos en medidas económicas para identificar las tendencias históricas de la disponibilidad de los productos minerales.

MEDIDAS FÍSICAS

La lógica detrás de las medidas físicas es tan simple como atractiva. Como se observó en el Capítulo 1, dado que la Tierra es finita, contiene una cantidad fija de petróleo, carbón, hierro, cobre y otras substancias. En consecuencia, la oferta de todos los productos minerales constituye un *stock* fijo. Las medidas físicas tratan de evaluar el *stock* remanente en cualquier momento dado. Por otra parte, la demanda de productos minerales es un flujo variable que continúa año tras año. Así, la demanda debe eventualmente consumir la oferta disponible, provocando el agotamiento físico del producto. Para evaluar cuánto tiempo durará el *stock* disponible –la expectativa de vida del producto– sólo hay que pronosticar las tendencias de su uso futuro.

Esta visión del proceso de agotamiento se encuentra, a menudo, y en gran parte, porque es lógica. A lo largo de los años, como vimos en el Capítulo 2, ha tenido presencia e importancia en la literatura, desde Malthus y el Movimiento Conservacionista, hasta las inquietudes más recientes sobre los límites al crecimiento. Aunque Hotelling sólo supone que una mina específica tiene un *stock* fijo de recursos minerales, muchos de sus seguidores han ampliado este supuesto para abarcar el mundo entero.

RESERVAS

Aunque la lógica detrás de las medidas físicas es simple, estimar el *stock* remanente disponible de un producto mineral presenta algunas dificultades. El enfoque más común es utilizar las reservas u otras medidas estrechamente relacionadas con las mismas. Por definición, las reservas son las cantidades de un producto mineral, tales como el petróleo o el cobre, que se encuentran en recursos bajo la superficie (yacimientos, depósitos) y que son tanto conocidos como rentables de explotar con la tecnología y los precios existentes.

Los datos sobre las reservas para distintos países y para el mundo entero pueden obtenerse fácilmente consultando el U.S. Geological Survey u otras entidades similares en distintos países y organismos internacionales. La segunda columna de la Tabla 3-1 muestra las reservas mundiales en 1999 para una muestra de productos minerales. En sí, no son muy esclarecedoras. Normalmente, se usa este tipo de datos para calcular las expectativas de vida de los productos minerales. Esto requiere de pronósticos de la demanda futura, junto con estimaciones de cuánto de la producción futura provendrá de la producción primaria y la explotación, y cuánto de la producción secundaria y el reciclaje (ver Recuadro 3-1). Desde luego, sólo la producción primaria agota las reservas.

La Tabla 3-1 aborda esta situación mostrando las expectativas de vida, suponiendo que la producción primaria crecerá a tasas anuales de 0, 2 y 5 %. La tasa de crecimiento promedio de la producción primaria de cada producto mineral durante los últimos 25 años también está señalada en la Tabla 3-1. En la mayoría de los casos, la tasa de crecimiento promedio es de entre 0 y 4 %. El plomo y el estaño son excepciones: su crecimiento ha promediado un –0,5 % anual.

No es sorprendente que las expectativas de vida varíen considerablemente. A mayor rapidez de crecimiento esperado de la demanda y la producción primaria, más bajas son las expectativas de vida, a menudo por muchos años. Para algunos productos minerales, tales como el magnesio (recuperado del agua de mar) y la potasa, que no aparecen en la Tabla 3-1, las reservas son suficientes para miles de años a los ritmos actuales de producción. Sin embargo, para la mayoría, los resultados son más preocupantes, sugiriendo que muchos productos minerales habrán desaparecido dentro de un siglo, e incluso dentro de unas pocas décadas en el caso del petróleo, cobre, plomo, níquel, plata, estaño y zinc.

RECUADRO 3-1.
PRODUCCIÓN PRIMARIA Y SECUNDARIA

La oferta de productos minerales proviene tanto de la producción primaria como de la secundaria. La producción primaria implica la extracción y procesamiento de recursos minerales provenientes de yacimientos bajo la superficie. Los productos minerales pueden recuperarse como productos separados o individuales (esto es habitual en el caso del petróleo, carbón, bauxita, hierro, arena y grava, y fosfato natural), o como productos conjuntos (como ocurre con frecuencia con el oro, plata, plomo, zinc, cobre y molibdeno). Dependiendo de su importancia para la viabilidad económica de la mina, los productos conjuntos pueden ser productos principales, coproductos o subproductos.

La producción secundaria aumenta la oferta de muchos productos minerales a través del reciclaje de chatarra nueva y vieja. La chatarra nueva proviene del proceso de manufacturar productos, como el estampado de parachoques para automóviles nuevos. La chatarra vieja es material presente en bienes de consumo y de producción, tales como automóviles viejos, que han llegado al final de sus vidas útiles. Sólo una parte de la chatarra generada por la sociedad se recicla. Esto se debe a que la producción primaria es más barata que el reciclaje de algunas fuentes de chatarra y no porque el producto mineral contenido en la chatarra haya sido destruido. Por ejemplo, el plomo utilizado previamente como aditivo para las gasolinas y pinturas sigue existiendo y, de hecho, incluso puede representar un serio problema ambiental, pero no se recicla porque es mucho más barato obtener nuevos suministros de éste en base a la producción primaria.

Sin embargo, este escenario pesimista supone que las reservas reflejan el *stock* fijo de productos minerales que restan por explotar. Esto simplemente no es cierto. Las reservas indican la cantidad de un producto mineral encontrado en yacimientos conocidos y rentables de extraer con la tecnología y a los precios actuales. Aunque, con el tiempo, la extracción esté agotando las reservas, el descubrimiento de nuevos yacimientos a través de la exploración, así como la transformación de recursos conocidos, pero no económicamente rentables, en yacimientos rentables gracias a las nuevas tecnologías, van aumentando las reservas. En efecto, incluso en un mundo estático sin ninguna exploración o nueva tecnología, las reservas pueden aumentar como resultado de alzas en los precios de los productos minerales o reducciones en los costos de mano de obra, capital y demás factores de producción empleados por las industrias de minerales.

Dado que la exploración, la nueva tecnología y los demás factores sí aumentan las reservas a lo largo del tiempo, no debería pensarse en las reservas como indicadores de la disponibilidad de minerales a largo plazo, sino más bien como inventarios de trabajo que las compañías de energía y mineras pueden incrementar invirtiendo en exploración y nuevas tecnologías. En muchas industrias de minerales, una vez que las reservas alcanzan de 20 a 30 años a la actual tasa de producción, las compañías tienen poco incentivo para invertir en desarrollar sus reservas. El gasto que implica encontrar nuevas reservas que no se necesitarán sino en dos o tres décadas más, sencillamente no vale la pena asumirlo en este momento.

TABLA 3-1

EXPECTATIVAS DE VIDA DE LAS RESERVAS MUNDIALES, PRODUCTOS MINERALES SELECCIONADOS

Producto mineral [a]	**Reservas 1999** [b]	**Producción primaria anual promedio 1997-1999** [b]	**Expectativa de vida en años, a tres tasas de crecimiento de la producción primaria** [c]			**Crecimiento anual promedio de la producción, 1975-1999 (porcentaje)**
			0%	**2%**	**5%**	
Carbón	$9{,}9 \times 10^{11}$	$4{,}6 \times 10^{9}$	216	84	49	1,1
Petróleo crudo	$1{,}0 \times 10^{12}$	$2{,}4 \times 10^{10}$	44	31	23	0,8
Gas natural	$5{,}1 \times 10^{15}$	$8{,}1 \times 10^{13}$	64	41	29	2,9
Aluminio	$2{,}5 \times 10^{10}$	$1{,}2 \times 10^{8}$	202	81	48	2,9
Cobre	$3{,}4 \times 10^{8}$	$1{,}2 \times 10^{7}$	28	22	18	3,4
Hierro	$7{,}4 \times 10^{13}$	$5{,}6 \times 10^{8}$	132	65	41	0,5
Plomo	$6{,}4 \times 10^{7}$	$3{,}1 \times 10^{6}$	21	17	14	–0,5
Níquel	$4{,}6 \times 10^{7}$	$1{,}1 \times 10^{6}$	41	30	22	1,6
Plata	$2{,}8 \times 10^{5}$	$1{,}6 \times 10^{4}$	17	15	13	3,0
Estaño	$8{,}0 \times 10^{6}$	$2{,}1 \times 10^{5}$	37	28	21	–0,5
Zinc	$1{,}9 \times 10^{8}$	$7{,}8 \times 10^{6}$	25	20	16	1,9

a. Con excepción del aluminio, las reservas se miden en términos de metal contenido. Para el aluminio, las reservas se miden en términos de mineral de bauxita.

b. Las reservas y la producción primaria se miden en toneladas métricas, con excepción del petróleo crudo, en barriles y el gas natural, en pies cúbicos.

c. Las cifras de expectativas de vida fueron calculadas antes de redondear los datos para las reservas y la producción promedio. Por consiguiente, las expectativas de vida mostradas en las columnas cuarta, quinta y sexta pueden desviarse levemente de aquellas derivadas de los datos de reservas mostrados en la segunda columna y los de la producción primaria anual de la tercera columna.

Fuentes: U.S. Bureau of Mines (1977), U.S. Geological Survey (2000a); U.S. Geological Survey (2000b); American Petroleum Institute (2000); BP Amoco (2000); International Energy Agency (2000)

Algunos estudios tratan de superar los problemas inherentes a la utilización de las reservas para medir la disponibilidad de minerales aumentándolas en forma arbitraria. Por ejemplo, *Los Límites del Crecimiento* (Meadows y otros 1972), se vale de cifras recientes de reservas, las multiplica por cinco y luego supone que los resultados entregan estimaciones razonables de la disponibilidad máxima de diversos productos minerales. Otros, utilizan las medidas de los recursos en lugar de las reservas. Los recursos abarcan las reservas más la cantidad de un producto mineral contenido en yacimientos que 1) son económicos, pero aún no descubiertos, y, 2) se prevé que serán económicos como resultado de las nuevas tecnologías y otros adelantos dentro de un futuro previsible. Sin embargo, todos estos esfuerzos adolecen del mismo defecto fundamental que las reservas: las cifras resultantes en definitiva no constituyen *stocks* fijos que reflejen la disponibilidad remanente de los productos minerales.

RECURSOS TOTALES

Otra medida física es el recurso total, el cual se acerca bastante más que las reservas o los recursos para medir la cantidad total de diversos productos minerales que se encuentran en la Tierra. Esta medida incluye la cantidad total de un producto mineral contenido en la corteza terrestre (ver Recuadro 3-2). Incluye las reservas, los recursos y, además, el contenido de todas las otras ocurrencias subsuperficiales. Los recursos totales no varían con nuevos descubrimientos, y tampoco cambian según los precios de los productos minerales o con la introducción de nuevas tecnologías. La relación entre reservas, recursos y recursos totales se muestra en la Figura 3-1, una modificación de la bien conocida caja de McKelvey.[1]

RECUADRO 3-2.
LA CORTEZA TERRESTRE

La corteza terrestre es la capa más externa de la esfera sólida que constituye la Tierra. Varía en grosor entre 8 y 70 kilómetros. Es más delgada debajo de los océanos y no incluye a estos ni a otras extensiones de agua. En la actualidad el magnesio y el litio se producen rentablemente en base al agua de mar. Muchos otros productos minerales también pueden extraerse de los océanos, aunque no rentablemente, porque hay fuentes más baratas disponibles en otros lugares. Esto significa que los recursos totales subestiman levemente la cantidad total de productos minerales encontrados en la capa superior de la esfera terrestre.

1 Vincent E. McKelvey, geólogo y ex-director del U.S. Geological Survey, desarrolló un sistema de clasificación de recursos ampliamente utilizado (McKelvey 1973) que se hizo conocido como la caja de McKelvey. La caja de McKelvey es similar a la Figura 3-1, salvo que excluye los recursos totales, porque muchos geólogos (entre ellos McKelvey) creen que los recursos minerales que no constituyen reservas ni recursos tienen escaso o nulo interés práctico.

La Tabla 3-2 muestra los recursos totales para diversos productos minerales, junto con sus expectativas de vida, suponiendo que la demanda de producción primaria crece a 0, 2 y 5% anual. El hallazgo más notable es la magnitud misma de las cifras. A las tasas actuales de explotación primaria, todos los productos minerales para los que contamos con estimaciones de recursos totales, durarían millones de años, y algunos, ¡miles de millones de años! Dado que nuestro sistema solar tiene sólo cinco mil millones de años, aproximadamente, y que el Homo sapiens ha existido como especie durante apenas varios cientos de miles de años, éstas son cifras muy grandes. Sugieren que la sociedad podría tener otros problemas más urgentes que los del agotamiento de minerales.

Sin embargo, la Tabla 3-2 también muestra que, suponiendo un crecimiento continuo de la producción primaria de solo un 2% anual, las expectativas de vida de los recursos totales se reducen de millones y miles de millones a cientos y miles de años. Aunque estas cifras son suficientemente pequeñas como para causar alguna inquietud, al igual que las cifras más grandes no constituyen indicadores muy útiles de la disponibilidad a largo plazo de los recursos minerales – por cuatro razones.

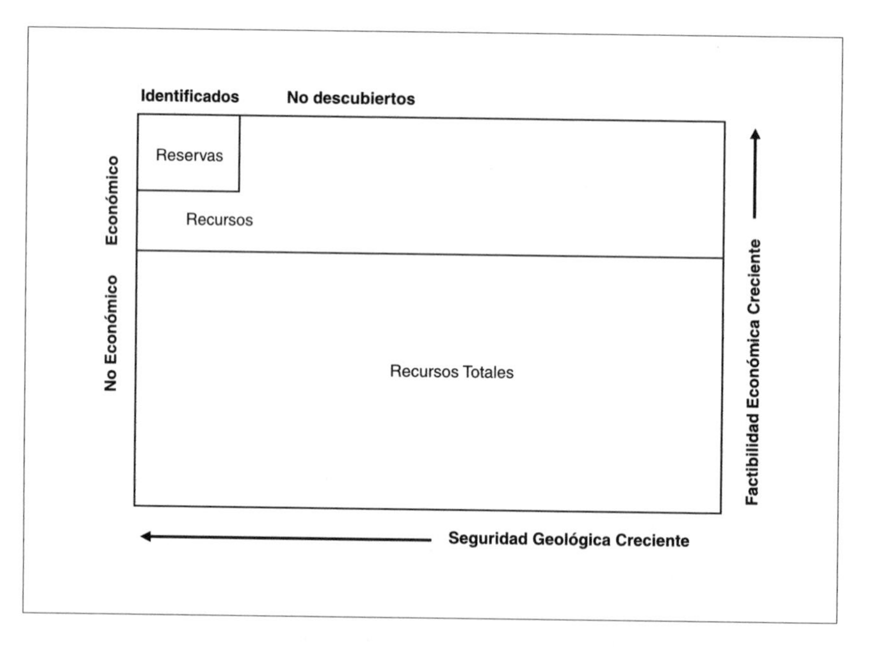

FIGURA 3-1.
RESERVAS, RECURSOS Y RECURSOS TOTALES

TABLA 3-2.
EXPECTATIVAS DE VIDA DE LOS RECURSOS TOTALES, PRODUCTOS MINERALES SELECCIONADOS

Producto mineral	Recursos totales (tons. métr.) [a]	Producción primaria anual promedio 1997-1999	Expectativa de vida en años, a tres tasas de crecimiento de la producción primaria			Crecimiento anual promedio de la producción, 1975-1999 (porcentaje)
			0%	2%	5%	
Carbón[b]	n.d.	$4{,}6 \times 10^{9}$	n.d.	n.d.	n.d.	1,1
Petróleo crudo[b]	n.d.	$2{,}4 \times 10^{10}$	n.d.	n.d.	n.d.	0,8
Gas natural[b]	n.d.	$8{,}1 \times 10^{13}$	n.d.	n.d.	n.d.	2,9
Aluminio	$2{,}0 \times 10^{18}$	$2{,}2 \times 10^{7}$	$8{,}9 \times 10^{10}$	1.065	444	2,9
Cobre	$1{,}5 \times 10^{15}$	$1{,}2 \times 10^{7}$	$1{,}2 \times 10^{8}$	736	313	3,4
Hierro	$1{,}4 \times 10^{18}$	$5{,}6 \times 10^{8}$	$2{,}5 \times 10^{9}$	886	373	0,5
Plomo	$2{,}9 \times 10^{14}$	$3{,}1 \times 10^{6}$	$9{,}4 \times 10^{6}$	607	261	–0,5
Níquel	$2{,}1 \times 10^{12}$	$1{,}1 \times 10^{6}$	$1{,}8 \times 10^{6}$	526	229	1,6
Plata	$1{,}8 \times 10^{12}$	$1{,}6 \times 10^{4}$	$1{,}1 \times 10^{8}$	731	311	3,0
Estaño	$4{,}1 \times 10^{13}$	$2{,}1 \times 10^{5}$	$2{,}0 \times 10^{8}$	759	322	–0,5
Zinc	$2{,}2 \times 10^{15}$	$7{,}8 \times 10^{6}$	$2{,}8 \times 10^{8}$	778	329	1,9

Nota: n.d. significa no disponible

a. Los recursos totales para un producto mineral se calculan multiplicando su abundancia elemental, medida en gramos por tonelada métrica, por el peso total (24×10^{18}) en toneladas métricas de la corteza terrestre. Refleja la cantidad de ese material encontrado en la corteza terrestre.

b. No existen estimaciones de los recursos totales para el carbón, petróleo crudo y gas natural. Por consiguiente, no hay datos disponibles para los recursos totales y las expectativas de vida de dichos productos. El U.S. Geological Survey y otras organizaciones sí entregan evaluaciones de recursos que se estiman recuperables para el petróleo, el gas natural y el carbón. Aunque a veces se refiere a estos como estimaciones de los recursos totales, no pretenden medir todo el carbón, petróleo y gas natural encontrado en la corteza terrestre. Por ende, es más apropiado considerarlos como estimaciones de recursos en lugar de evaluaciones de los recursos totales.

Fuentes: Los datos sobre los recursos totales se basan en información contenida en Erickson (1973, 22-23) y Lee y Yao (1970, 778-786). Las cifras para la producción anual promedio 1997-1999 y el crecimiento porcentual anual de la producción para 1997-1999 provienen de la Tabla 3-1 y las fuentes allí citadas.

1. Muchos productos minerales, y en particular los metales, no se destruyen al ser extraídos y utilizados; por lo tanto, pueden reutilizarse las veces que se desee. Ignorando las cantidades triviales lanzadas al espacio, el mundo tiene hoy tanto cobre, plomo y zinc como siempre. Una parte de la producción pasada de estos metales ha sido degradada y descartada. Recuperar y reprocesar este material sería caro, pero es cuestión de costos, no de disponibilidad física.

2. Aunque el reciclaje no es una opción para los recursos energéticos, su escasez definitiva está restringida por las oportunidades de sustitución y las alternativas de respaldo. Por ejemplo, el carbón, gas natural, petróleo, energía hidroeléc-

trica, uranio, viento y energía solar, todos ellos pueden producir electricidad. La combinación de estos, utilizada en cualquier momento dado, depende en gran parte de sus costos relativos.

Desde luego, algunos recursos energéticos, como el petróleo, tienen características únicas que en los tiempos actuales hace difícil o imposible su sustitución en algunas aplicaciones. Por ejemplo, el automóvil con su motor de combustión interna actualmente depende del petróleo. Sin embargo, las oportunidades para la sustitución de recursos están aumentando en muchas importantes aplicaciones energéticas de uso final. Esto se ve más evidentemente en el automóvil, donde la nueva tecnología está abriendo rápidamente las perspectivas para el uso de electricidad, células energéticas y otros combustibles alternativos para impulsar el automóvil del futuro. Dichas alternativas ya son técnicamente factibles; su adopción generalizada es más que nada cuestión de costos.

A la luz de tales oportunidades de sustitución, el agotamiento de un recurso particular solo representa un problema si todas las alternativas están en una situación similar de escasez creciente. Aunque los recursos totales para muchos de los minerales energéticos no renovables son desconocidos (y pueden ser menores o mayores de lo que se supone frecuentemente), la disponibilidad de recursos energéticos renovables, en especial la energía solar, es para todos los fines prácticos ilimitada. (ver Recuadro 3-3)

3. Los recursos totales no contemplan la posibilidad de extraer productos minerales desde debajo de la corteza terrestre o desde el espacio. Aunque tales actividades parecen inverosímiles en estos momentos, hay discusiones en curso sobre la explotación minera de la Luna y los asteroides cercanos a la Tierra. La historia sugiere que muchas actividades que parecen improbables hoy pueden llegar a ser comunes en uno o dos siglos más.

4. Este punto es tal vez el más importante. Antes de que el mundo extraiga la última gota de petróleo o la última molécula de plata de la corteza terrestre, el alza de los costos erradicará completamente la demanda. Esto significa que la disponibilidad de recursos se verá amenazada por el agotamiento económico mucho antes de producirse el agotamiento físico de los recursos totales.

Por estas razones, los costos y los precios, ajustados correctamente para reflejar la inflación, ofrecen un sistema de alarma más prometedor para la escasez de recursos a largo plazo que las medidas de disponibilidad física. Esto nos lleva a la medida económica de la disponibilidad.

RECUADRO 3-3.
LA DISPONIBILIDAD DE ENERGÍA SOLAR

La disponibilidad de la energía solar que llega a la atmósfera superior de la Tierra equivale a la constante solar multiplicada por la superficie de la Tierra expuesta al Sol. La constante solar (*CS*) es la tasa de llegada de energía por área unitaria perpendicular a los rayos solares en la superficie de la Tierra. Esto equivale a 1.350 watts por metro cuadrado (Giancola, 1997). La superficie de la Tierra expuesta al Sol equivale a pR^2, en que R es el radio de la Tierra ($6{,}38 \times 10^6$ metros) y p es la tan conocida relación entre la circunferencia de un círculo y su diámetro (3,14159). De manera que la energía solar que llega a la atmósfera superior es $CS\ pR^2 = 1.350 \times 3{,}14159 \times (6{,}38 \times 10^6)^2 = 1{,}73 \times 10^{17}$ watts. Dado que apenas alrededor de un 50 % de esta energía llega al suelo (Ristinen y Kraushaar, 1998), la energía solar total que alcanza la superficie de la Tierra es la mitad de esta cifra, es decir $8{,}6 \times 10^{16}$ watts. Multiplicando esta cifra por el número de horas en un año (24 x 365) y luego dividiendo por 1.000 (para convertir los watts en kilowatts) se tiene que $7{,}9 \times 10^{17}$ kilowatt-horas (Kwh) de energía solar llegan anualmente a la superficie terrestre.

Para comprender la magnitud de esta cifra, podemos compararla con la energía derivada anualmente de la producción mundial del petróleo. La cantidad de energía en un barril de petróleo es variable. Para los EE.UU., es, en promedio, de alrededor de 5,8 millones de unidades termales británicas (U.S. Energy Information Administration 2001a), o el equivalente a 1,7 mil Kwh. Como se muestra en la Tabla 3-1, la producción anual mundial de petróleo crudo promedió los $2{,}4 \times 10^{10}$ barriles durante el período 1997-1999. A 1,7 mil Kwh por barril, esta producción contiene $4{,}0 \times 10^{13}$ Kwh de energía, o aproximadamente 0,005% de la energía solar que llega a la superficie terrestre cada año. Según la U.S. Energy Information Administration (2001b), la producción de petróleo crudo da cuenta de 40% de la producción mundial de energía. De manera que la producción total de energía actualmente equivale a 0,012% de la energía solar disponible. Esto significa que la disponibilidad física de energía solar es aproximadamente 8.000 veces mayor que el total combinado de la producción energética mundial actual.

El punto, y es importante subrayarlo, no es sugerir que algún día el mundo llegue a usar toda esta energía solar disponible. Los costos de la energía solar, incluidos los ambientales, supuestamente subirían lo suficiente como para hacer que el uso adicional de este tipo de energía no fuera económicamente viable mucho antes de que el globo terráqueo estuviera totalmente asfixiado con paneles solares. El punto es, simplemente, que son los costos y no la disponibilidad física los que, en definitiva, determinan la disponibilidad de los productos energéticos.

MEDIDAS ECONÓMICAS

Hay tres medidas económicas ampliamente reconocidas para la disponibilidad a largo plazo de los productos minerales: los costos marginales reales de extracción y procesamiento, el precio de mercado real del producto mineral, y los costos de uso reales (ver Recuadro 3-4). Como se señaló en el Capítulo 2 (ver Figura 2-1), los productores de productos minerales no tienen ningún incentivo para expandir la producción más allá del punto en el cual los costos marginales de producción más los de uso llegan a igualar al precio de mercado. De manera que estas tres medidas económicas están relacionadas.

La Figura 3-2 ilustra la naturaleza de esta relación. El eje vertical muestra el precio de mercado de un producto mineral y los costos de producción para los diversos yacimientos (descubiertos) desde donde las compañías de minerales elaboran el producto. Los costos de producción difieren porque los yacimientos varían en términos de calidad. Algunos son de alta ley, fáciles de procesar y están ubicados cerca del transporte marítimo barato con la infraestructura necesaria ya instalada. Otros no. La columna marcada A en la Figura 3-2 identifica el yacimiento de menor costo (mejor calidad). Este puede producir 0*a* por año a un costo unitario de C_1. La columna B indica que el siguiente mejor yacimiento puede producir ab por año a un costo unitario de C2. La columna C representa el tercer mejor yacimiento, y así sucesivamente.

La figura indica que el precio de mercado es P y los costos de uso son $P - C_m$ por unidad de producción. También supone que los costos de producción unitarios varían poco dentro de algún yacimiento o depósito determinado, por lo menos en comparación con las diferencias de costos entre los yacimientos. Por esta razón, los costos de producción se muestran como una línea horizontal para cada yacimiento.

RECUADRO 3-4.
COSTOS Y PRECIOS REALES Y NOMINALES

Los costos y precios nominales de los productos minerales pueden aumentar a lo largo del tiempo como resultado de la inflación, es decir, un alza general de los precios promedio de todos los bienes y servicios. Para remover los efectos de ésta, los economistas y otros deflactan los costos y precios nominales por alguna medida de la inflación, como ser el deflactor del producto interno bruto, el índice de precios al consumidor y el índice de precios al productor. Las cifras así ajustadas se llaman costos y precios reales.

Por ejemplo, si el precio nominal del cobre sube en 10% de un año a otro, en tanto que la inflación aumenta el precio promedio de todos los bienes y servicios en 5%, el aumento del precio real del cobre es de sólo un 5%. Dado que los costos y precios reales entregan una mejor medida que los costos y precios nominales de la canasta de bienes y servicios que debe sacrificarse para obtener una tonelada adicional de cobre, reflejan con mayor precisión las verdaderas tendencias de la disponibilidad del cobre y otros productos minerales.

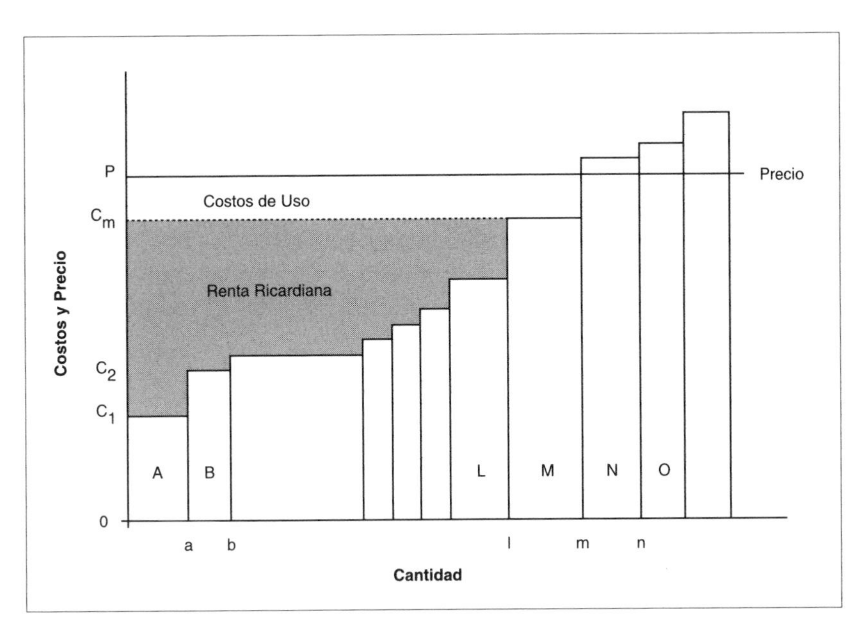

FIGURA 3-2.
PRECIO DE MERCADO, COSTOS DE PRODUCCIÓN, COSTOS DE USO Y RENTA RICARDIANA

Suponiendo que las compañías mineras desarrollan y explotan yacimientos mineros si y sólo si el precio de mercado cubre sus costos de producción más los de uso, puede construirse una curva de oferta a largo plazo de la industria, sumando los costos de uso ($P - C_m$) a la altura de cada columna (los costos de producción) de la Figura 3-2. Al precio de mercado P, la industria producirá 0m en los primeros M yacimientos. Los minerales contenidos en estos yacimientos son reservas. Las columnas N y superiores representan yacimientos que no son rentables de explotar al precio P. Los minerales que estos contienen constituyen en la actualidad, recursos, no reservas.

Los costos de producción más los costos de uso para el yacimiento M son justamente equivalentes al precio de mercado, y es este yacimiento el que ilustra la relación entre el precio de mercado, los costos marginales de producción y los costos de uso – nuestras tres medidas económicas de la disponibilidad de recursos. Los yacimientos intramarginales, aquellos en las categorías A hasta L, tienen costos de producción más costos de uso más bajos que el precio de mercado, de manera que ganan utilidades adicionales como resultado de su calidad superior. Esta utilidad adicional, como se observó en el Capítulo 2, comúnmente se llama renta ricardiana (ver Recuadro 3-5). Como muestra la Figura 3-2, aunque sólo los yacimientos A hasta L gozan de rentas ricardianas, tanto estos como el M están compensados por sus costos de uso.

En contraste, los costos de uso mostrados en la Figura 3-2 no son verdaderas rentas económicas, pese a que los economistas y otros a menudo se refieren a ellos como rentas de Hotelling o rentas de escasez. Aunque los yacimientos A hasta L pueden perder su renta ricardiana y sus propietarios pueden continuar teniendo incentivos para seguir en producción, esto no ocurre con aquellos otros que ya no son capaces de recuperar sus costos de uso. Por ejemplo, cualquier caída en el precio, instaría al yacimiento M a cerrar. Esto es porque los costos de uso representan costos y no rentas. Por este motivo, favorecemos el término *costos de uso* por sobre el de rentas de Hotelling o rentas de escasez.

RECUADRO 3-5.
RENTAS ECONÓMICAS, RENTA RICARDIANA Y COSTOS DE USO

Para la mayoría de las personas, la renta es simplemente el pago que se efectúa al arrendador, usualmente a comienzos de mes, por un departamento o casa. Sin embargo, para los economistas, el término tiene un significado bastante distinto y muy especial.

Una renta es un pago al propietario de un factor de producción – como ser un empleado o trabajador en el caso de mano de obra, o un propietario de los derechos minerales en el caso de un yacimiento mineral – más allá del requerido por el propietario para ofrecer el factor de producción bajo su control al mercado. Por ejemplo, un jugador de fútbol, con un sueldo de US$ 1.000.000 al año, gana una renta de US$ 900.000 si su otra alternativa es trabajar como ingeniero eléctrico a un sueldo anual de US$ 100.000 (suponiendo que no favorezca alguno de los trabajos por motivos distintos al sueldo). En forma similar, las empresas, que pueden considerarse como un conjunto de factores de producción, ganan rentas cuando reciben un precio superior al requerido para materializar su ingreso a la industria (o, si ya están en la industria, para impedir su salida).

La renta ricardiana mostrada en la Figura 3-2 para los yacimientos A hasta L es un tipo particular de renta económica. Indica cuánto podría caer el precio del producto mineral antes que estos yacimientos cesaran su producción.

Aunque la Figura 3-2 resalta la relación entre precio, costos y costos de uso, estos tres indicadores de disponibilidad de recursos miden cosas distintas. El precio de mercado refleja el costo de oportunidad (en el sentido de lo que es necesario sacrificar) para obtener otra unidad del producto mineral – un barril de petróleo crudo o una tonelada de cobre refinado, por ejemplo.

Los costos de uso reflejan el valor del petróleo o el mineral de cobre sin explotar. Bajo ciertas condiciones, los costos de uso se aproximan a los costos esperados de encontrar en una o más unidades de reservas de calidad marginal (categoría M).[2] Las reservas de mejor calidad normalmente son más costosas de descubrir, porque es probable que sea menor el número de estos yacimientos y, supuestamente, la mayor parte de los existentes ya hayan sido descubiertos. Los costos esperados de su descubrimiento se aproximan a los de uso más la renta ricardiana asociada.

Los costos de extracción y procesamiento reflejan el valor de la mano de obra y otros insumos requeridos para extraer los recursos del suelo y convertirlos en petróleo crudo, cobre refinado u otros productos minerales listos para su venta en el mercado. Estas diferencias significan que las tres medidas económicas pueden entregar señales distintas respecto de la disponibilidad a largo plazo de los productos minerales.

Hotelling (1931) ha mostrado que, en un mundo estático donde no hay ningún descubrimiento ni nueva tecnología y donde todo el mineral existente tiene la misma calidad, los costos de uso aumentan a un r % anual (la tasa de rentabilidad para otros activos similares a los recursos minerales sin explotar).[3] Los costos de extracción y procesamiento se mantienen constantes. Por consiguiente, el costo marginal de producir la última unidad de producción es el mismo para cada período, y equivale a los costos promedio de toda la producción. En esta situación, el precio de mercado sube a la misma tasa absoluta que los costos de uso. Sin embargo, a menos que los costos de extracción y procesamiento sean cero, el aumento del precio de mercado es menor que r %, la tasa para los costos de uso. En esta situación, los costos de uso y, en menor medida, los precios de mercado, indican creciente escasez, en tanto los costos de producción no muestren cambio alguno en la disponibilidad de recursos.

El permitir el cambio tecnológico para la extracción y procesamiento de productos minerales introduce la posibilidad de que los costos de producción disminuyan con el tiempo. Dicha disminución tal vez compense con creces la subida de los costos de uso, permitiendo bajar el precio de mercado. Sin embargo, esta tendencia favorable no puede continuar indefinidamente, porque, con el tiempo, los costos de uso representan una porción creciente del precio de mercado. Como se explicará en el Capítulo 4, esta posibilidad ha llevado a Slade y otros a hipotetizar que los precios reales de los productos minerales siguen una curva con forma de U a través del tiempo, disminuyendo al principio y luego aumentando.

Yendo un paso más allá – y teniendo en cuenta no sólo los cambios tecnológicos para la extracción y el procesamiento, sino también los nuevos descubrimientos y los yacimientos minerales de calidades variables – introduce la posibilidad de

2 Esto ocurre cuando las empresas tienen un incentivo para expandir sus esfuerzos de exploración hasta el punto en que el costo esperado de encontrar otra unidad de reservas iguale el valor de dicha unidad.

3 En los casos donde la capacidad restringe la producción de productos minerales, Cairns (2001) muestra que la regla del r % sólo es válida si los costos de uso incluyen el valor sombra del capital. Por éste y otros motivos, el r % provee sólo un límite superior al alza de los costos de uso a lo largo del tiempo.

que los costos de uso, además de los costos de producción, puedan disminuir con el tiempo, permitiendo que el precio de mercado baje indefinidamente. Para ilustrar esta posibilidad, consideremos nuevamente la Figura 3-2 y supongamos que hay muchos grandes yacimientos con los mismos costos de producción que el yacimiento N. En este caso, una vez que los costos de producción alcanzaran los del yacimiento N, se estabilizarían. Los costos de uso bajarían, porque la pérdida de utilidades futuras asociada con un aumento de la producción, hoy no ocurriría sino hasta muchos años más, cuando el yacimiento N y todos los demás similares quedaran agotados. Por consiguiente, el valor presente de estas utilidades perdidas, probablemente sería mucho más bajo que el valor presente de las utilidades futuras perdidas, asociado con el aumento de la producción actual antes de explotar el yacimiento N.

Tales situaciones pueden surgir donde existen tecnologías de respaldo. Por ejemplo, si el costo de producir gas natural subiera suficientemente como para hacer económica la energía solar, los costos de uso asociados con la producción de energía en base a gas natural caerían a cero.

CRÍTICAS A LAS MEDIDAS ECONÓMICAS

Nuestras medidas económicas (precio, costos marginales de producción y costos de uso) de la disponibilidad de recursos minerales son ampliamente (aunque no universalmente) aceptadas en la actualidad como superiores a las medidas físicas (reservas, recursos y recursos totales). Sin embargo, no son perfectas. Por ejemplo, los precios de los productos minerales pueden, al menos en el corto plazo, verse más influenciados por fluctuaciones en el ciclo económico, accidentes, huelgas y otros factores diferentes a los relacionados con las tendencias de disponibilidad a largo plazo. También pueden distorsionarse debido a una variedad de imperfecciones del mercado, incluidos los carteles y otras formas de poder, controles de precios gubernamentales, subsidios públicos y costos ambientales y otros costos sociales que los productores y los consumidores no pagan. Por ejemplo, el alza acentuada de los precios del petróleo a comienzos de los años 70 reflejó más el poder de mercado real o percibido de la Organización de Países Exportadores de Petróleo y las fluctuaciones de corto plazo en el ciclo económico, que los problemas crecientes de la disponibilidad a largo plazo.

En forma similar, las imperfecciones y trastornos del mercado, también especialmente en el corto plazo, pueden distorsionar los costos de extracción en el margen. Por ejemplo, el salto de los precios del petróleo de comienzos de los 70' instó a los inversionistas a desarrollar pozos de alto costo que antes se consideraban no rentables. Una falencia adicional de los costos de extracción es su incapacidad de prever el futuro. Aunque los precios actuales de los productos minerales subirán al pronosticar futuros déficits, los costos de extracción dependen más de la calidad de los recursos que se están explotando actualmente que de aquellos que se explotarán en el futuro.

Los costos de uso son especialmente fáciles de interpretar cuando los costos de extracción son constantes. Sin embargo, cuando los costos de extracción están subiendo, hemos visto que los costos de uso pueden disminuir a medida que la sociedad recurre a recursos de calidad inferior, pero más abundantes. Esto refleja una reducción de la amenaza futura del déficit de recursos, pero no refleja muy bien las tendencias pasadas. Si las tendencias de los costos de extracción se centran demasiado en el pasado, las tendencias de los costos de uso tienden a lo contrario.

Otra falencia de nuestras medidas económicas de la escasez es que pueden entregar indicaciones bastante distintas sobre las tendencias de la disponibilidad de recursos. Por ejemplo, a lo largo del tiempo la nueva tecnología puede hacer bajar los costos de producción en tanto que el agotamiento esté haciendo subir los costos de uso. En tales situaciones los precios de los productos minerales pueden estar subiendo, bajando o manteniéndose constantes, y las implicancias para las tendencias de la disponibilidad de productos minerales serán ambiguas.

Los economistas ecologistas y otros también critican el uso de nuestros indicadores económicos sobre la base de que constituyen simples reflejos de un proceso de mercado inadecuado y, en algunos sentidos, fundamentalmente defectuoso. Aquí el argumento contra las medidas económicas abarca al menos cinco inquietudes.

Primero: Se sostiene que el sistema económico es solo una parte, o un subsistema, de un ecosistema global finito. El sistema económico extrae recursos del ecosistema y desecha sus residuos al mismo ecosistema. Cuando la economía mundial era pequeña, el ecosistema absorbía estas interacciones con un costo nulo o pequeño. Sin embargo, con el crecimiento del sistema económico mundial durante el último siglo, esto ha cambiado y, como resultado de ello, hay considerables costos ambientales y sociales asociados con las actividades económicas actuales que no están reflejados en los costos de los productores o en los precios que pagan los consumidores. En un debate con Julian Simon, Norman Myers expuso el siguiente punto de vista:

> Los bienes que compramos a menudo han sido producidos a un costo de contaminación ocultado durante el proceso de producción y, cuando los consumimos o los desechamos después de su uso, aumenta aún más la contaminación: por ejemplo, lluvia ácida, agotamiento de la capa de ozono y calentamiento global. Esto es contaminación para todos hoy y mañana, no sólo para el comprador. Sin embargo, los costos sociales distan mucho de estar reflejados en los precios que pagamos: las externalidades económicas rara vez son internalizadas, aunque debieran serlo si se pretende que los precios sirvan como indicadores realistas. Las externalidades son nada menos que costos ilegales que se imponen a otras personas. (Myers y Simon 1994, 185)

Los economistas tradicionales convendrían en que todos los costos – incluidos los ambientales y sociales – de elaborar productos minerales debieran ser internalizados si los precios y los costos han de reflejar tendencias verdaderas de la disponibilidad de recursos. Sin embargo, los críticos creen que los costos externos son muy grandes y generalizados. Cuestionan si acaso la sociedad tiene la capacidad o la voluntad de obligar a los productores y consumidores a pagar dichos costos. También sostienen que, si se tomaran en cuenta esos costos, los precios y costos registrados por los productos minerales en el pasado serían mucho más altos y aumentarían mucho más rápido.

Segundo: los indicadores de escasez que entrega el mercado sólo son confiables si los que participan en la determinación de los precios, costos de extracción y costos de uso de los productos minerales están correctamente informados al respecto. Como sugirió Norgaard (1990, 19-20): "Si los que asignan los recursos no están informados, las trayectorias de costos y precios que generan sus decisiones tienen la misma probabilidad de reflejar su ignorancia que la realidad".

Tercero: debido a la distribución tan sesgada de los ingresos y la riqueza en el mundo, es sólo un pequeño porcentaje de la población mundial el que indebidamente determina la demanda de los productos minerales. Nuevamente, según Myers:

> En cualquier caso, los indicadores de mercado reflejan la evaluación sólo de aquellas personas que pueden registrar sus votos monetarios en el mercado – una opción que, como hemos visto, está casi totalmente denegada a dos de cada cinco personas a nivel mundial. ¿Cuál sería la reacción de estas personas ante aseveraciones de que el poder adquisitivo aumenta constantemente a raíz de la reducción de los precios – o que el Waldorf [un hotel de lujo en la ciudad de Nueva York] está cada vez más abierto a todos?

Estas distorsiones de la demanda sesgan las trayectorias de los precios y los demás indicadores económicos de la disponibilidad de recursos. Una distribución más equitativa de los ingresos y la riqueza permitiría al tercio inferior de la población mundial aumentar considerablemente su demanda de viviendas, alimentos y otras necesidades básicas. Naturalmente, el tercio más rico tendría que reducir su demanda de bienes y servicios, pero en general una transformación así probablemente aumentaría en forma apreciable el apetito mundial por materiales y energía. Esto, a su vez, generaría un patrón diferente –tal vez demasiado diferente– de precios y costos de producción de los productos minerales que aquellos generados por el sistema de mercado tan injusto que existe actualmente.

Cuarto: el sistema de mercado deja también de dar un peso adecuado a los intereses de las generaciones futuras, porque son sólo los seres vivos (y no sus descendientes aún sin nacer) quienes interactúan en el mercado y configuran las políticas públicas que determinan los precios de los productos. Los críticos alegan que si se tomaran en cuenta las voces de las generaciones futuras, descontaríamos menos las utilidades futuras y aumentaríamos los precios actuales de los productos a fin de inclinar el consumo de recursos más hacia el futuro.

Quinto: el mercado sólo toma en cuenta los intereses de las personas. Se arguye, sin embargo, que otras especies también tienen valor intrínseco. El mercado y las políticas públicas consideran los intereses de estas solo en la medida que las personas estén dispuestas a abogar por ellas. Este punto de vista antropocéntrico, al igual que el enfoque sobre la generación actual, hace surgir la posibilidad de que, podrían ser mucho más altos tanto el nivel como las tendencias de los precios de los productos, si se considerara debidamente el bienestar de todas las criaturas vivas y no sólo el de las personas.

Estas críticas a las medidas económicas de la disponibilidad de recursos hacen surgir inquietudes importantes que demandan mayor atención. La primera es que los verdaderos costos de la producción de minerales (y de muchas otras actividades económicas) superan por mucho los costos en los que incurren los productores y, a su vez, los precios que pagan los consumidores. Esto refleja un colosal fracaso de las políticas públicas de internacionalizar los costos ambientales y sociales. Pocos argumentarían que las políticas públicas son perfectas. Los intereses creados y la ignorancia generalizada pueden promover – y de hecho, a menudo promueven – políticas subóptimas. Sin embargo, el punto aquí es cuán convincente puede llegar a ser la acusación de un fracaso colosal de las políticas públicas a lo largo de un período de tiempo prolongado, especialmente con respecto a aquellos países donde los gobiernos tienen el deber de responder ante sus ciudadanos.

La segunda inquietud – que la ignorancia de los participantes en el mercado inhabilita nuestras medidas económicas de la disponibilidad de recursos – resalta las complicaciones introducidas por la incertidumbre y la información imperfecta. Sin embargo, hasta dónde estas complicaciones debilitan la utilidad de las medidas económicas depende: 1) del uso que se les dé y 2) de la magnitud y extensión de la ignorancia. Si el objetivo es pronosticar con precisión sobre la base de los indicadores actuales, y si se cree que los actuales participantes en el mercado están mal informados, entonces las medidas económicas tendrán una utilidad cuestionable. Pero si se piensa que los actuales participantes están razonablemente informados, en especial porque el mercado les da considerables incentivos para mantenerse al corriente, deberíamos tener más confianza en las tendencias mostradas por las medidas económicas.

En cualquier caso, como señala Krautkraemer (1998, 2088), los indicadores económicos reflejan la "información disponible respecto de la escasez en un momento dado, y esa información va cambiando con el tiempo". De modo que los indicadores económicos debieran reflejar la sabiduría colectiva del mercado respecto a cómo está cambiando la escasez de recursos. Aunque esta sabiduría colectiva es imperfecta, el punto crítico es si acaso es contraria a la mejor evidencia disponible sobre la escasez futura de recursos a lo largo de un período de tiempo prolongado.

Las demás críticas a las medidas económicas de la disponibilidad de recursos hacen surgir inquietudes, incluso más fundamentales en términos filosóficos, respecto no solo de cómo medir la disponibilidad de recursos sino que, aun más importante, de los valores que tenemos, individual y colectivamente, como sociedad y, por ende, cuáles consideramos al asignar recursos y tomar decisiones. Sin embargo, en definitiva estos retos son relevantes sólo en la medida de que influyan en aquellos individuos cuyas decisiones y comportamiento tienen relevancia, como ilustra tan vívidamente la siguiente cita de Stokey y Zeckhauser (1978, 262):

> Nuestro punto principal es que son las personas, y solo las personas, las que valen. Esto significa que sólo tiene sentido salvar las secoyas y los pájaros azulejos y el lago Baikal y el Viejo del Monte si las personas creen que vale la pena salvarlos. Considerados en forma abstracta, los derechos de organismos no humanos podría parecer un criterio válido para establecer las políticas. Pero de hecho estos derechos no tienen ningún sentido a menos de que sean defendidos por las personas; ni las secoyas ni los pájaros azulejos pueden hablar por sí mismos. Si este criterio les parece excesivamente inflexible, veamos el otro lado de la moneda. ¿Cuántas voces se alzan en favor de aquella especie en vías de extinción, el virus de la viruela? ¿Y quién habla para proteger al picudo del algodonero? Existe amplio respaldo para un enfoque antropocéntrico. A pesar de todas las justificaciones filosóficas contrarias, a menos que a los seres humanos les importen las secoyas, éstas serán destruidas.

Aunque muchos individuos reflexivos quisieran ver una distribución más equitativa de los ingresos y de la riqueza a nivel mundial, esto tiene poca importancia en términos de la disponibilidad de recursos (o, por lo demás, de cualquier otra cosa) hasta que tales inquietudes afecten efectivamente el poder adquisitivo de los que económicamente carecen de derechos y privilegios. En forma similar, los intereses de las generaciones futuras o de otras especies, a pesar de los argumentos esgrimidos en su favor, afectan el presente sólo en la medida que la generación actual de humanos los tome en cuenta. Decir que las tendencias de la disponibilidad de recursos habrían sido menos favorables si las políticas públicas hubieran sido distintas (mejores) puede ser interesante, pero no afecta de modo alguno las tendencias actuales. Se quema gasolina en un Cadillac de lujo o en un pequeño Honda, en un vehículo todoterreno o en un ciclomotor – y no hay ninguna manera de modificar ahora los patrones de uso pasados.

REFERENCIAS

American Petroleum Institute (2000). **Basic Petroleum Data Book**. Washington, DC, American Petroleum Institute.

BP Amoco (2000). BP Amoco Statistical Review of World Energy 2000. http://www.bpamoco.com/worldenergy/.

Cairns, R. D. (2001). "Capacity choice and the theory of the mine". **Environmental and Resource Economics**, 18: 129-148.

Erickson, R. L. (1973). Crustal abundance of elements, and mineral reserves and resources.**United States Mineral Resources**, Geological Survey Professional Paper 820. D.A. Brobst and W.P. Pratt. Washington, DC, Government Printing Office: 21-25.

Giancola, D. C. (1997). **Physics**. Upper Saddle River, NJ, Prentice Hall.

Hotelling, H. (1931). "The economics of exhaustible resources". **Journal of Political Economy,** 39(2): 137-175.

International Energy Agency (2000). **Oil, Gas, Coal and Electricity Quarterly Statistics**, Second Quarter. Paris, International Energy Agency.

Krautkraemer, J. A. (1998). "Nonrenewable resource scarcity". **Journal of Economic Literature,** 36: 2065-2107.

Lee, T. and C.-L. Yao (1970). "Abundance of chemical elements in the earth's crust and its major tectonic units". **International Geological Review** , 12(7): 778-786.

McKelvey, V. E. (1973). Mineral resource estimates and public policy. **United States Mineral Resources,** Geological Survey Professional Paper 820. D.A. Brobst and W.P. Pratt. Washington, DC, Government Printing Office: 9-19. This article also appears in **American Scientist,** 60: 32-40.

Meadows, D. H. and others (1972). *The Limits to Growth*. New York, Universe Books.

Myers, N. and J. L. Simon (1994). **Scarcity or Abundance? A Debate on the Environment.** New York, Norton.

Norgaard, R. B. (1990). "Economic indicators of resource scarcity: a critical essay". **Journal of Environmental Economics and Management**, 19: 19-25.

Ristinen, R. A. and J. J. Kraushaar (1998). **Energy and the Environment**, New York, Wiley.

Slade, M. E. (1982). "Trends in natural-resource commodity prices: an analysis of the time domain". **Journal of Environmental Economics and Management**, 9: 122-137.

Stokey, E. and R. Zeckhauser (1978). **A Primer for Policy Analysis**. New York, Norton.

U.S. Bureau of Mines (1977). **Commodity Data Summaries 1977**. Washington, DC, U.S. Bureau of Mines.

U.S. Energy Information Administration, Department of Energy (2001a). "Gross Heat Content of Crude Oil, 1990-1999". http://www.eia.doe.gov/emeu/iea/table c3.html

U.S. Energy Information Administration, Department of Energy (2001b). "World Consumption of Primary Energy by Selected Country Groups (Btu), 1990-1999". http://www/eia/doe/gov/emeu/iea/table18.html

U.S. Geological Survey (2000a). **Mineral Commodity Summaries on Line 2000.** http://minerals.usgs.gov/minerals/pubs/mcs/.

U.S. Geological Survey (2000b). **Minerals Yearbook: Volume I, Metals and Minerals.** http://minerals.usgs.gov/minerals/pubs/commodity/myb/.

CAPÍTULO 4

EL PASADO BENEVOLENTE

Este capítulo mira hacia atrás, hacia fines del siglo XIX y comienzos del XX. Examina las investigaciones realizadas por otros para identificar las tendencias históricas de la disponibilidad de recursos durante este período, investigaciones que comienzan en la década de 1870 y continúan hasta el presente. Fundamentalmente, estamos preocupados del futuro, no del pasado –y, por supuesto, las tendencias pasadas tal vez no se repitan en el futuro. Sin embargo, la comprensión del ayer nos será útil cuando dirijamos nuestra atención hacia el mañana en el próximo capítulo.

Este capítulo está organizado en torno a nuestras tres medidas económicas de la disponibilidad de recursos. Revisa primero las tendencias de los costos reales de elaboración de productos minerales, luego las tendencias de los precios reales de los productos minerales y, finalmente, las tendencias de los costos de uso reales. En la última sección se desprenden algunas conclusiones generales respecto de las tendencias pasadas de la disponibilidad de recursos y se explican algunas de las inconsistencias entre las tres medidas.

COSTOS DE PRODUCCIÓN

Las compañías productoras de minerales generalmente no ponen sus costos de producción a disposición del público. Algunas empresas consultoras, entidades gubernamentales e incluso compañías productoras, reúnen y estiman esta información, más que nada para obtener los *cash costs* (que se aproximan a los costos variables y, por ende, excluyen los de capital).[1] Sin embargo, en el mejor de los casos esta serie de datos se remonta apenas a unas cuantas décadas.

Por consiguiente, los esfuerzos para medir los costos de producción se han focalizado en las tendencias de los insumos utilizados para elaborar los productos minerales. Este es, por ejemplo, el enfoque empleado por Barnett y Morse (1963) en su libro pionero *Scarcity and Growth* (*Escasez y Crecimiento*), ya mencionado en el Capítulo 2. Utilizando datos recopilados por Potter y Christy (1962) y Kendrick (1961), construyen índices de la mano de obra utilizada por unidad de producción,

1 Ver, por ejemplo, U.S. Bureau of Mines 1987 y Torries 1988, 1995.

y de la mano de obra más el capital, utilizados por unidad de producción para todas las industrias extractivas. También calculan los mismos índices para la agricultura, los minerales, la silvicultura y una cantidad de industrias específicas dentro de estos sectores económicos. Su estudio, que sólo abarca los EE.UU., cubre el período comprendido entre 1870 y 1957.

Dado que medimos la disponibilidad de petróleo o cualquier otro producto mineral por la canasta de bienes y servicios que la sociedad debe sacrificar para obtener una unidad adicional, el uso de medidas físicas de los insumos –mano de obra y capital, en el caso de Barnett y Morse– entrega un cuadro incompleto de las tendencias de disponibilidad. Cuando los precios de los insumos suben, como ocurrió claramente en el caso de los salarios reales durante el período examinado por Barnett y Morse, los resultados subestiman la disminución o sobrestiman el aumento de la disponibilidad. Cuando los precios de los insumos bajan, ocurre exactamente lo contrario.

También es importante observar que Barnett y Morse miden los costos promedio de mano de obra y capital para la producción de recursos de todos los productores, y no los costos de los productores marginales (como nos gustaría idealmente). Como resultado de ello, tienden a subestimar la mano de obra y capital requeridos por los productores marginales. Sin embargo, esto, tal vez, no afecte grandemente sus resultados y hallazgos. Por el hecho de que estén examinando las tendencias a lo largo del tiempo, éstas, en un índice de costos promedio, pueden coincidir estrechamente con las tendencias en un índice de costos marginales.

La Tabla 4-1 muestra los resultados al medir los costos de producción en términos de los insumos de mano de obra y capital por unidad de producción. En el tiempo que apareció el estudio de Barnett y Morse, estos resultados causaron cierta sorpresa. Los mismos indican que los insumos de mano de obra y capital requeridos para producir los recursos extractivos en general disminuyeron en forma impresionante –en más de 50 %–, a pesar del notable crecimiento de su consumo durante el período examinado, casi 90 años,. Además, el ritmo de disminución fue más rápido después de 1919 que antes de esa fecha, sugiriendo no sólo que los recursos se estaban volviendo más disponibles, sino que lo estaban haciendo a un ritmo acelerado. Finalmente, la caída de los costos de producción fue incluso más grande para el sector de minerales –más del 75 %– aun cuando, a diferencia de la agricultura y la silvicultura, este sector depende de recursos no renovables.

Al separar el sector de minerales en combustibles minerales, metales y no metales, Barnett y Morse encontraron que los tres grupos experimentaron grandes reducciones en sus costos de producción (medidos en términos del insumo de mano de obra por unidad de producción). Al dividir aún más estos tres grupos en productos minerales individuales, la tendencia a la disminución seguía siendo generalizada. El petróleo y el gas natural, el carbón bituminoso y antracita, el mineral de hierro, el cobre, el fosfato natural, la piedra, el fluoruro natural, el azufre y otros productos minerales, todos requieren un menor insumo de mano de obra por unidad de producción, con el paso del tiempo.

TABLA 4-1
ÍNDICES DE INSUMOS DE MANO DE OBRA Y CAPITAL POR UNIDAD DE PRODUCCIÓN PARA TODAS LAS INDUSTRIAS EXTRACTIVAS DE LOS EE.UU. Y PARA LOS SECTORES AGRÍCOLA, DE MINERALES Y SILVÍCOLA 1870-1957 (1929 = 100)

Período o año	Todas las industrias extractivas	Agricultura	Minerales	Silvicultura
1870–1900	134	132	210	59
1919	122	114	164	106
1957	60	61	47	90

Fuente: Barnett y Morse 1963, 8.

Barnett y Morse atribuyen estas tendencias favorables en gran parte a los cambios tecnológicos. Las nuevas tecnologías bajan los costos necesarios para encontrar nuevos recursos; permiten la explotación de recursos previamente conocidos, pero no económicamente rentables; permiten sustituir los recursos más escasos por otros menos escasos, y reducen la cantidad de recursos requeridos para producir bienes y servicios finales.

Además, Barnett y Morse no creen que tales innovaciones sean simples sucesos aleatorios, sino que postulan que están impulsadas por la necesidad. De manera que puede confiarse en que éstas continuarán en el futuro para aumentar la disponibilidad de recursos. En sus propias palabras:

> Estos sucesos... no son esencialmente fortuitos. En un momento lo fueron, pero en los últimos dos siglos han habido cambios importantes en el conocimiento que el hombre posee respecto del universo físico, cambios que ha incorporado el progreso tecnológico a los procesos sociales del mundo moderno... No sólo la inventiva sino, cada vez más, el entendimiento; no la suerte, sino la investigación sistemática, están doblándole la mano a la naturaleza, haciéndola subordinarse al hombre. Y las señales que canalizan los esfuerzos de investigación, ya sea en una dirección u otra –y que determinan las prioridades para la innovación– habitualmente son los problemas que claman con mayor fuerza por una solución. A veces las señales son políticas y sociales. Con mayor frecuencia, en una sociedad de empresa privada, son las fuerzas del mercado. (Barnett y Morse 1963, 9-10)

En gran parte, por sus hallazgos sorprendentes, el estudio de Barnett y Morse no dejó de ser impugnado. De hecho, el estudio promovió una ola de investigaciones sobre los costos de extracción y procesamiento de recursos que continúa hasta el presente. Algunos escritores (Cleveland 1991) cuestionan el enfoque dirigido solo a los insumos de mano de obra y capital, sosteniendo que los resultados podrían ser bastante distintos si también se tomaran en cuenta los insumos de energía y otros. La energía es un insumo importante en la extracción, procesamiento y transporte de muchos productos minerales, en especial de los metales. Por ejemplo, la electricidad por sí sola puede dar cuenta de más del 25 % de los costos de fundición del aluminio. (Nappi 1988, Tabla 7-3)

Otros críticos, incluido Barnett (1979) mismo, plantean la posibilidad de que tal vez los costos de producción en los EE.UU. pudieran estar disminuyendo debido a su dependencia creciente de las importaciones, aun cuando estuvieran aumentando a nivel mundial. Otros observan que los autores no incluyeron en sus cifras los costos ambientales crecientes asociados con la producción de recursos. Finalmente, algunos comentaristas (Johnson y otros 1980; Hall y Hall 1984) sostienen que si se extendiera el análisis de Barnett y Morse más allá de 1957 se podría descubrir un vuelco en la tendencia descendente de los costos.

Aunque todas las anteriores inquietudes son válidas, los resultados de Barnett y Morse han probado ser notablemente consistentes. Investigaciones posteriores (Barnett 1979; Johnson y otros 1980; Slade 1988, 1992; Uri y Boyd 1995) sobre los costos de extracción de recursos, han apoyado en gran parte la conclusión de Barnett y Morse de que los costos de producción han disminuido desde fines del siglo XIX para los recursos, en general, y para los minerales no renovables, en particular.[2]

PRECIOS DE LOS PRODUCTOS MINERALES

Los precios de los productos minerales gozan de dos importantes ventajas prácticas sobre los otros dos indicadores económicos de la disponibilidad de recursos. Primero, son muy asequibles y fáciles de obtener. Segundo, son razonablemente confiables. Esto es especialmente válido para los precios de minerales fijados en las bolsas de productos, tales como el Mercado de Metales de Londres. Por consiguiente, existe una rica historia de estudios sobre los precios de los productos minerales.

Esta sección examina antes que nada los primeros estudios emprendidos en las décadas de 1960 y 70. Luego revisa los esfuerzos por modelar las tendencias históricas de los precios de productos minerales que comenzaron en los años 80. Estos primeros esfuerzos, a su vez, inspiraron algunos modelos más sofisticados, en algunos casos utilizando nuevos avances en los análisis de series de tiempo. Estos se consideran hacia el final del capítulo.

ESFUERZOS INICIALES

Potter y Christy (1962) entregan uno de los primeros análisis sistemáticos de las tendencias de los precios de los recursos naturales. Su trabajo cubre una variedad de productos agrícolas, minerales y silvícolas de los EE.UU. Abarca el

2 Una excepción se señala en Hall y Hall 1984.

período entre 1870 y 1957, posteriormente actualizado hasta 1973 por Manthy (1978). Los precios nominales se convierten a precios reales utilizando el índice de precios al productor (IPP) de los EE.UU. para reflejar el ajuste por inflación.[3]

La Figura 4-1, reproducida de Potter y Christy, muestra las tendencias de los precios a largo plazo para todos los recursos y, en forma separada, para los sectores agrícola, de minerales y silvícola. Indica que los precios de los minerales cayeron en más del 40% entre 1870 y 1957. Sin embargo, toda esta disminución tuvo lugar durante la primera década de este período. Después de 1880, los precios de los minerales mostraron fluctuaciones de corto plazo en respuesta a guerras y otros disturbios, pero experimentaron pocos cambios en el largo plazo.

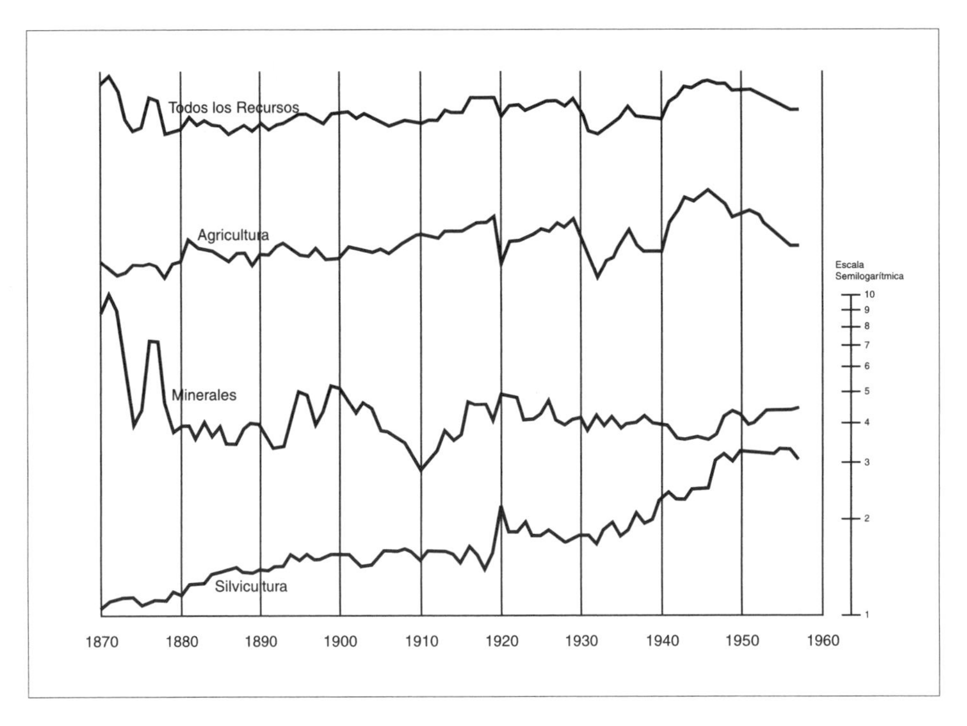

FIGURA 4-1.
PRECIOS REALES PARA TODOS LOS RECURSOS Y PARA LOS SECTORES AGRÍCOLA, DE MINERALES Y SILVÍCOLA

Nota: Esta figura utiliza una escala logarítmica para medir los precios, que da igual valor a iguales cambios porcentuales en los precios. Esto permite una fácil comparación entre series de precios de magnitudes completamente diferentes.

Fuente: Potter y Christy 1962, Gráfico 1.

3 El índice de precios al por mayor de EE.UU. se transformó en el índice de precios al productor en 1978. Para evitar confusiones, este estudio se refiere a ambos por el nombre actual, índice de precios al productor, o su abreviación, IPP.

Sin embargo, los datos para todos los minerales ocultan diferencias importantes en las tendencias de los precios entre productos individuales. Por ejemplo, los precios reales del carbón, plomo y cal subieron durante el período 1870-1957, en tanto que los del hierro, zinc, cobre, petróleo y fosfato natural bajaron.[4]

Barnett y Morse (1963) también examinan los datos sobre precios recopilados por Potter y Christy, deflactándolos por los precios de los bienes no extractivos en lugar del IPP. Haciendo abstracción de los movimientos de corto plazo, encuentran que los precios de los minerales han permanecido bastante constantes desde el último cuarto del siglo XIX. Estos hallazgos son similares a los de Potter y Christy y contrastan marcadamente con la pronunciada disminución que Barnett y Morse encontraron en los costos de producción de los productos minerales durante el mismo período.[5] Tampoco sugieren una aceleración en el ritmo de aumento de la disponibilidad, como ocurre con sus datos sobre los costos de producción. No obstante, Barnett y Morse sostienen que ni las tendencias de los precios ni las de los costos de producción dan apoyo alguno a la hipótesis de que el agotamiento de minerales esté causando la escasez de recursos.

Escribiendo una década más tarde, Nordhaus (1974) sí encuentra disminuciones sustanciales en las tendencias de los precios a largo plazo de muchos productos minerales importantes. Entre 1900 y 1970, por ejemplo, su trabajo muestra caídas en los precios de 97 % para el aluminio; 90 % para el petróleo, 87 % para el cobre, plomo y zinc; 84 % para el hierro y 78 % para el carbón. Nordhaus utiliza el costo de la mano de obra para deflactar los precios de los productos minerales, lo que explica en gran parte por qué sus resultados difieren de los de Potter y Christy y de los de Barnett y Morse. A lo largo de los años, los costos de la mano de obra han aumentado mucho más rápidamente que los precios de los bienes a granel o los no extractivos.

Estos hallazgos resaltan el hecho de que las tendencias de los precios en el largo plazo pueden variar dependiendo del deflactor utilizado para reflejar el ajuste por inflación. El deflactor de Nordhaus –los costos de mano de obra– tiene la ventaja de mostrar las tendencias en el número de horas de mano de obra que se podrían comprar por el precio de diversos productos minerales, una medida de los costos de oportunidad que es fácil de comprender. Por el contrario, los costos de la

4 Potter y Christy (1962) entregan datos de precios para cuatro productos energéticos (petróleo, gas natural, carbón bituminoso y carbón antracita), para 14 metales (mineral de hierro, lingotes de hierro, acero, ferroaleaciones, ferromanganeso, níquel, tungsteno, cobre, plomo, zinc, bauxita, aluminio, estaño y magnesio) y para 14 no metales (piedra dimensionada, piedra triturada y quebrada, cemento portland, cal, arena, grava, arcillas, productos de arcilla estructurales, ladrillo de construcción, yeso, fosfato natural, potasa, azufre y fluoruro natural).

5 Como se señaló anteriormente, Barnett y Morse (1963) miden los costos de producción en términos de los insumos físicos de mano de obra y capital, los que no contemplan el efecto de los cambios en los precios de los insumos y, en particular, del alza acentuada de los salarios reales durante el último siglo. Esto puede explicar gran parte de las diferencias observadas por Barnett y Morse entre las tendencias a largo plazo de los costos de producción y las tendencias a largo plazo de los precios reales de los minerales.

mano de obra han aumentado, en parte, porque las inversiones en capital humano (más educación, mejoramientos en la capacitación en el puesto de trabajo, mejores prestaciones en salud) han mejorado la calidad de la mano de obra. Por este motivo, las tendencias de los precios identificadas por Potter y Christy y por Barnett y Morse constituyen una mejor medida de las tendencias de la disponibilidad de recursos.

MODELOS ECONOMÉTRICOS

Smith (1979) entrega uno de los primeros esfuerzos de modelar las tendencias de los precios de minerales. Basándose principalmente en los datos de Potter y Christy (1962), actualizados y modificados por Manthy (1978), Smith postula la siguiente tendencia temporal lineal simple, durante el período 1900-1973 para los precios reales de cuatro categorías de recursos naturales (bienes extractivos totales, productos minerales, productos silvícolas y bienes agrícolas):

$$P_t = \alpha_0 + \alpha_1 t + \varepsilon_t \qquad 4\text{-}1$$

donde P_t es el precio promedio en el año t para cada una de las categorías de recursos naturales deflactadas por el índice de precios al productor de EE.UU.; t es la tendencia temporal (t = 1, 2, ...74); e_t es el término perturbador[6] en el año t; y α_0 y a_1 son parámetros desconocidos que se supone permanecen constantes durante el período. El parámetro α_0 indica el precio esperado para el período de tiempo, justo antes de comenzar el análisis (cuando t = 0) y, por ende, debiera ser positivo. El parámetro α_1 determina la pendiente de la línea de tendencia de los precios. Ésta es positiva, cero o negativa, según si la tendencia de los precios a largo plazo, esté subiendo, permanezca horizontal o esté bajando.

Smith usa un análisis de regresión para estimar los parámetros y encuentra que las estimaciones para la variable de tendencia (α_1) sólo son estadísticamente significativas (en el sentido de que son distintas a cero con una probabilidad de 90% o más) en el caso de los productos silvícolas. Estos resultados a primera vista parecieran apoyar las conclusiones de Potter y Christy y de Barnett y Morse en términos de que, salvo en el sector silvícola, no ha habido ninguna tendencia significativa a largo plazo para los precios reales de los productos de recursos naturales.

Sin embargo, Smith sostiene que sólo se justifica esta conclusión si los parámetros de su modelo (α_0, α_1) permanecen constantes durante el período 1900-1973 completo. Usando dos técnicas estadísticas alternativas,[7] muestra que esto es

6 El término perturbador permite que el precio en cualquier año t se desvíe de su valor de tendencia.
7 La primera es la prueba CUSUM de Brown y Durbin y la segunda es la relación log-probabilística de Quandt.

altamente improbable. En el caso de los minerales, sus hallazgos sugieren que la estimación para el parámetro de tendencia temporal (α_1) es negativo y va subiendo hacia cero durante la década entre 1910 y 1920, sugiriendo que los precios estaban cayendo durante este período, pero a un ritmo cada vez más lento. A continuación, el parámetro de tendencia temporal se torna positivo durante los años 20 y 30, sugiriendo que los precios estaban subiendo durante esos años. Vuelve a ser negativo durante los 40, 50 y comienzos de los 60, y de ahí en adelante permanece muy cercano a cero hasta 1973, el fin del período examinado.

Estos hallazgos, sugiere Smith, no debieran ser sorprendentes. Durante los años 1900-1973, estaban ocurriendo muchos cambios que afectaban las tendencias de los precios de los recursos. La naturaleza de la economía de los EE.UU. estaba evolucionando, provocando grandes cambios en la importancia relativa de productos individuales dentro de las categorías globales. Por ejemplo, el petróleo estaba teniendo mucho más importancia, tanto dentro del sector de minerales, como en el sector de bienes extractivos en su conjunto.

Como resultado de tales sucesos, Smith sostiene que las tendencias que siguieron los precios reales de los recursos cambiaron durante el período 1900-1973. De manera que el hecho de que los precios de los recursos no hayan subido en el largo plazo puede ocultar la evidencia más reciente que abarca un período más corto de tiempo y que refleja una escasez de recursos creciente. Por este motivo, cuestiona las conclusiones de Potter y Christy y de Barnett y Morse.

En un estudio empírico influyente, Slade (1982) sostiene que la verdadera relación entre los precios reales de los recursos y el tiempo tiene forma de U.[8] Para apoyar esta hipótesis, señala que, en condiciones de mercado competitivas, los precios de los productos minerales debieran igualar sus costos marginales de producción más los costos de uso (como se muestra en las Figuras 2-1 y 3-2).

Según Hotelling (como vimos en el Capítulo 2), los costos de uso debieran aumentar a lo largo del tiempo. Sin embargo, los costos de producción pueden estar aumentando o disminuyendo. Slade sostiene que el cambio tecnológico tiende a hacer bajar los costos de extracción y procesamiento a lo largo del tiempo, en tanto que la necesidad de explotar yacimientos de menor ley y calidad inferior tiende a hacer subir los costos de producción. Durante un tiempo, los efectos benéficos del cambio tecnológico pueden contrarrestar los efectos negativos de los yacimientos de peor calidad, así como el aumento de los costos de uso. En ese caso, los costos de producción caerán más de lo que suben los costos de uso, permitiendo una disminución del precio real.

8 Esta posibilidad también es sugerida por Pindyck (1978) y Heal (1981).

Sin embargo, esta tendencia favorable no puede continuar indefinidamente. Con el tiempo, los costos de producción dan cuenta de una proporción cada vez más pequeña de la suma de los costos de producción y los costos de uso, de modo que el alza de estos últimos debe, eventualmente, contrarrestar la disminución de los primeros. Slade cree que este cambio de sentido se verá reforzado por los límites naturales de las nuevas tecnologías, que eventualmente harán subir incluso los costos de producción.

La Figura 4-2 ilustra el escenario esperado. Al comienzo del período analizado (T_0), los costos de uso son bastante pequeños en comparación con los costos marginales de producción. A poco andar, gracias al cambio tecnológico, los costos de producción bajan lo suficiente como para contrarrestar la tendencia ascendente de los costos de uso. Esta tendencia favorable continúa hasta el tiempo T_1, después del cual el alza de los costos de uso supera la disminución de los costos de producción, haciendo subir los precios. Eventualmente, en el tiempo T_2, la tendencia descendente de los costos de producción también se invierte a medida que el alza de los costos causada por la disminución de la ley del mineral y la calidad del yacimiento contrarresta los efectos de la nueva tecnología.

Slade contrasta esta hipótesis para 11 productos minerales importantes –tres combustibles (carbón, gas natural y petróleo) y ocho metales (aluminio, cobre, hierro, plomo, níquel, plata, estaño y zinc). Supone que la hipotética relación con forma de U entre el precio y el tiempo puede ser captada por la función cuadrática

$$P_t = \alpha_0 + \alpha_1 t + \alpha_2 t^2 + \varepsilon_t \qquad 4\text{-}2$$

donde P_t es el precio promedio en el año t para cada uno de los 11 productos minerales deflactados por el índice de precios al productor de EE.UU.; t es la tendencia temporal ($t = 1, 2, ...$); e_t es el término perturbador en el año t; y α_0, α_1 y α_2 son parámetros desconocidos.

Para cada producto, Slade utiliza datos de precios desde 1870 (o del primer año del cual haya datos disponibles) hasta 1978, y efectúa un análisis de regresión para estimar los parámetros (α_0, α_1, α_2) de la ecuación 4-2. Para efectos comparativos, también estima la relación lineal, mostrada en la ecuación 4-1, entre los precios y el tiempo.

La relación en forma de U entre los precios y el tiempo que ella supone prevé que la estimación de a_1 será negativa y para a_2 será positiva, resultado que se mantiene para los 11 productos minerales. Además, con excepción del plomo, las estimaciones para α_2, que indican una relación no lineal, son positivas a niveles de probabilidad, las que superan el 90 %. Estos resultados apoyan la hipótesis de Slade de que los precios de los minerales tienden a descender y luego a subir a lo largo del tiempo. Asimismo, en todos los casos encuentra que el punto mínimo en la relación estimada entre el precio y el tiempo se alcanza antes de 1973. Concluye que esto "indica que los productos de recursos naturales no renovables se están tornando escasos". (Slade 1982, 136)[9]

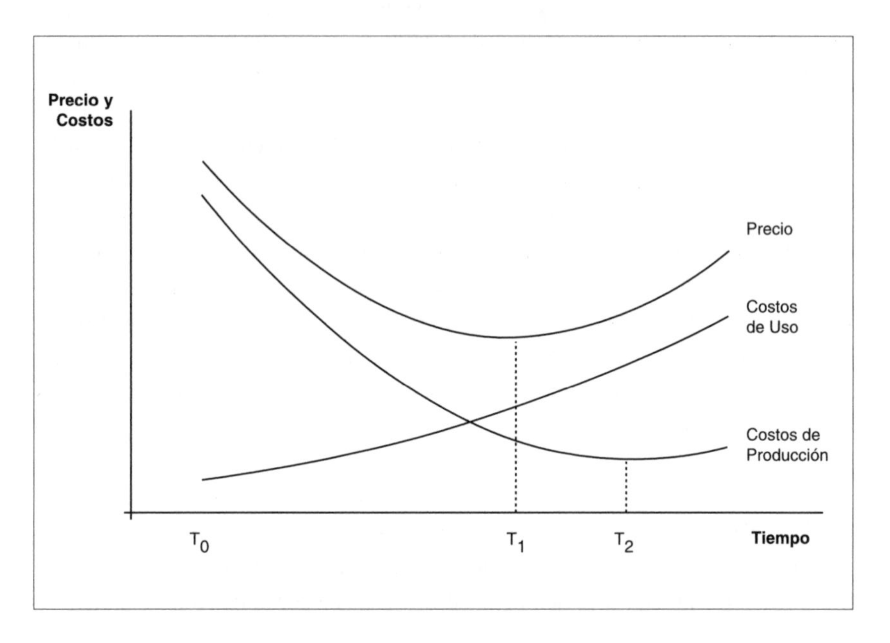

FIGURA 4-2
TENDENCIAS HIPOTETIZADAS DE LOS COSTOS DE USO, COSTOS MARGINALES DE PRODUCCIÓN Y PRECIOS PARA LOS PRODUCTOS MINERALES

Fuente: Modificación de la Figura 1 en Slade 1982.

HECHOS RECIENTES

El estudio de Slade ha recibido considerable atención, en gran parte debido a sus importantes implicancias para la disponibilidad a largo plazo de los productos minerales. Estudios posteriores han planteado cinco inquietudes o llamadas de atención en relación con su análisis.

9 Los resultados de la ecuación lineal comparados con los de la ecuación cuadrática sugieren que esta última refleja más precisamente la verdadera relación entre los precios de minerales y el tiempo. Primero, como se señaló, todos, son positivos al nivel probabilístico del 90 %, menos uno de los parámetros estimados para la variable tiempo al cuadrado en la ecuación cuadrática. Si la verdadera relación entre los precios y el tiempo fuera lineal, este parámetro sería cero. Además, todas las relaciones lineales estimadas subestiman considerablemente los precios de los minerales hacia el final del período cubierto, lo que no ocurre con las relaciones cuadráticas estimadas. Es interesante ver que los resultados para la ecuación lineal dan mucho menos apoyo a la conclusión de que los recursos minerales estén experimentando una escasez creciente. Sólo 7 de los 11 parámetros estimados en la variable tiempo fueron positivos, y apenas 4 de estos tenían un nivel probabilístico del 90 % o más.

Primero, como vimos anteriormente, Smith cuestiona si acaso puede suponerse que los parámetros del modelo lineal simple son constantes en el tiempo. La misma pregunta puede hacerse respecto de la relación cuadrática establecida por Slade.

De hecho, Slade (1982, 129, 136) aborda este tema de pasada en su artículo. Si la verdadera relación, como supone ella, es una función cuadrática, en que los precios primero bajan pero eventualmente suben, Smith debiera encontrar que el parámetro estimado en la variable temporal de su ecuación lineal es negativo pero tendiendo hacia cero, para los años iniciales de su muestra. Eventualmente, debiera pasar a ser positivo, a medida que los precios llegan a su punto más bajo y empiezan a subir. Slade sostiene que esto es lo que muestran los resultados de Smith.

Examinando los resultados de este último para el sector mineral, se ve que esto es válido para el período hasta 1920, pero no de allí en adelante. Esto no es lo que esperaríamos si la ecuación cuadrática con parámetros invariantes, que examina Slade, correspondiera al período 1870-1978 completo. Berck (1995) y Pindyck (1999) entregan evidencia adicional de que la relación a largo plazo entre los precios de los minerales y el tiempo cambia con el transcurso del tiempo.

Esto es preocupante, porque sugiere que los esfuerzos por estimar dichas relaciones empíricamente son similares a dispararle a blancos móviles. Cualquier esfuerzo dado, especialmente si cubre un período prolongado, probablemente estimará una curva híbrida que refleja varias diferentes relaciones verdaderas, cada una relevante durante distintos períodos, sin ninguna garantía de que los resultados estimados se aproximen ni cercanamente a la relación de largo plazo actual.

Segundo, un reto relacionado proviene del análisis más moderno de las series de tiempo, gran parte del cual Slade no tenía disponible a comienzos de los años 80 cuando escribió su artículo original. Las propiedades estadísticas de sus resultados, que apoyan tan fuertemente su hipótesis respecto de la tendencia a largo plazo de los precios de minerales, dependen de que estos sean *de tendencia estacionaria*. Esto significa que los precios de los productos minerales volverán a las mismas tendencias de largo plazo si son perturbados por un *shock* de corto plazo, como por ejemplo una huelga o una guerra. Si esto no se da, entonces los precios siguen una *tendencia estocástica*, y los parámetros (α_0, α_1 y α_2) cambian durante el período examinado como respuesta a los *shocks* de corto plazo.

Varios estudiosos (Agbeyegbe 1993; Berck y Roberts 1996; Ahrens y Sharma 1997; Howie 2001), e incluso Slade misma (1988), realizaron pruebas posteriores para determinar si las series de precios para los productos minerales, que ella considera, son de tendencia estacionaria. Los resultados varían; en algunos casos indican que las tendencias son estacionarias, en otros que son estocásticas.

Tercero, el análisis de Slade termina en 1978. Como muestra Krautkraemer (1998) con bastante detalle, los precios de muchos productos energéticos y otros minerales cayeron durante los años 80 y 90. Esto plantea la posibilidad de que sus hallazgos tal vez serían bastante distintos si el estudio se llevara a cabo hoy.

Howie (2001) actualizó recientemente los datos de Slade y los resultados se muestran en el Anexo de este libro. También vuelve a estimar sus ecuaciones, usando las mismas técnicas de regresión (además de técnicas de series de tiempo más modernas) y el mismo conjunto de productos. Además de las relaciones lineales y cuadráticas, él considera la posibilidad de que los precios sigan una tendencia inversa en el largo plazo. Encuentra que la tendencia lineal describe mejor los precios del plomo y del petróleo; la tendencia inversa, los precios del aluminio, cobre y zinc; y la tendencia cuadrática, sólo los precios del níquel.[10] También concluye que las tendencias de los precios para el carbón bituminoso, mineral de hierro, lingotes de hierro, gas natural, plata y estaño podrían ser estocásticas en lugar de estacionarias, lo que lleva a cuestionar los resultados estimados para estos productos.

Cuarto, al igual que la mayoría de los otros estudiosos que analizan tendencias de precios a largo plazo, Slade supone que el precio de un producto equivale a su costo marginal de producción más los costos de uso. Implícitamente, ella y otros suponen que los costos marginales de producción reflejados en los precios son los que prevalecen en el largo plazo, no en el corto plazo, porque son los costos de producción a largo plazo los relevantes para medir la disponibilidad a largo plazo de los productos minerales.

Sin embargo, en el corto plazo (un período tan breve que las empresas no pueden cambiar su capacidad), cuando la economía está en auge y la demanda de productos minerales es fuerte, los costos marginales de producción pueden, durante un tiempo, superar con creces sus niveles de largo plazo. Inversamente, cuando la economía está deprimida y las industrias de minerales están sufriendo de capacidad excesiva, es probable que los costos marginales de producción caigan por debajo de sus niveles de largo plazo. Al examinar los precios de los minerales por varias décadas, Slade y otros suponen que tales desviaciones a corto plazo de los costos de producción y los precios de sus valores a largo plazo terminan anulándose.

Otro problema potencial surge cuando los precios no son el resultado de la interacción entre la oferta y la demanda en un mercado competitivo. Esto puede ocurrir cuando los productores actúan individualmente o coludidos para ejercer poder de mercado y controlar el precio de mercado. También puede ocurrir durante las guerras y otras emergencias, cuando los gobiernos imponen controles de precios a

---

10 Estos resultados corresponden cuando Howie usa las técnicas econométricas empleadas por Slade. Cuando utiliza técnicas de series de tiempo más modernas, la serie de precios del aluminio queda mejor representada por la tendencia lineal que por la tendencia inversa. Además, los coeficientes estimados para las variables temporales en las ecuaciones para el plomo y el zinc en las tres especificaciones (lineal, cuadrática e inversa) son estadísticamente insignificantes, planteando la posibilidad de que los precios del plomo y del zinc siguen una tendencia lineal que no se está moviendo, ni hacia arriba ni hacia abajo, a lo largo del tiempo.

los productos minerales. Dichas distorsiones del mercado han ocurrido con cierta frecuencia en el pasado, como ilustra la Figura 4-3 para el cobre. Durante tales períodos, el precio es un indicador sesgado de la disponibilidad, sobrestimando la escasez cuando los carteles y otras actividades colusorias mantienen el precio a niveles artificialmente altos, y subestimando la escasez cuando los controles de precios impiden que los precios lleguen a sus niveles de equilibrio en el mercado.

Slade (1982, n. 14) plantea la posibilidad de que el cartel de la Organización de Países Exportadores de Petróleo (OPEP) y los aumentos en los precios de la energía que produjo después de 1973 podrían dar cuenta de la posterior recuperación de los precios de los minerales. Sin embargo, descarta esta posibilidad, observando que las curvas estimadas para todos los productos minerales que examina llegaron a su punto mínimo antes de 1973.

Aunque el público general está muy al tanto de los esfuerzos de la OPEP de intervenir en el precio del petróleo desde 1973, menos conocidos son los intentos frecuentes de controlar el precio del cobre, níquel, estaño y numerosos otros productos minerales durante el último siglo. La mayoría de estos esfuerzos duraron apenas unos pocos años y, al igual que el impacto de corto plazo del ciclo económico en los precios, existe cierta tendencia a que los efectos del poder de mercado sobre los precios se anulen en el largo plazo.[11] Por ejemplo, los acentuados aumentos en los precios del petróleo durante los años 70 promovieron nuevas fuentes de oferta y una reducción de la demanda que hizo descender los precios reales del petróleo durante gran parte de los años 80. En forma similar, el precio artificialmente alto del estaño, que logró mantener el Convenio Internacional del Estaño (*International Tin Agreement*) durante dos décadas, eventualmente llevó a su espectacular colapso en 1985. Durante los siguientes 5 a 10 años, el precio del estaño estuvo seriamente deprimido a raíz de los aumentos de la capacidad y de las reducciones de la demanda que alentó su alto precio durante el período inicial (Rogers 1992).

Desgraciadamente, en la literatura disponible, hay pocos estudios que examinan sistemáticamente de qué manera, si es que, el poder de mercado modifica las tendencias a largo plazo de los precios de los productos. Sí sabemos que durante el último siglo muchos mercados de minerales no combustibles se han vuelto más competitivos a medida que han disminuido los costos de transporte de los productos a granel y ha crecido la demanda de productos minerales. Esto sugiere que los precios a largo plazo podrían subestimar las tendencias de la escasez. Gracias a la OPEP, a comienzos de los 70, y sus efectos en los precios del petróleo y otros productos energéticos, tal vez ocurra todo lo contrario en los mercados energéticos.

11 Para estudios de carteles en las industrias mineral y energética, ver Eckbo 1976 y Schmitz 1995.

Algunos años atrás, Herfindahl (1959) realizó un interesante estudio de los precios y costos del cobre y encontró que los efectos del poder de mercado pueden ser considerables. Examinando cuidadosamente el período entre 1870 y 1957, identifica los años que, durante este período, fueron anormales, en el sentido de que la colusión, las guerras o las depresiones distorsionaron seriamente el precio del cobre (ver Figura 4-3). También separa los años anteriores a la Primera Guerra Mundial de los que la siguieron, porque, en esos tiempos, un cambio revolucionario en la tecnología provocó una caída única de 37 % en los precios reales. De especial interés para nuestros fines es que encuentra que el precio del cobre deflactado por el IPP disminuyó durante el período 1870-1918 en un 5 % anual al excluir los años anormales, en comparación con un 4 % anual cuando se incluían. Para el período 1918-1957 la diferencia era mucho mayor: los precios reales subían 0,2 % anual al excluir los años anormales, comparados con un 0,6 % cuando se incluían.

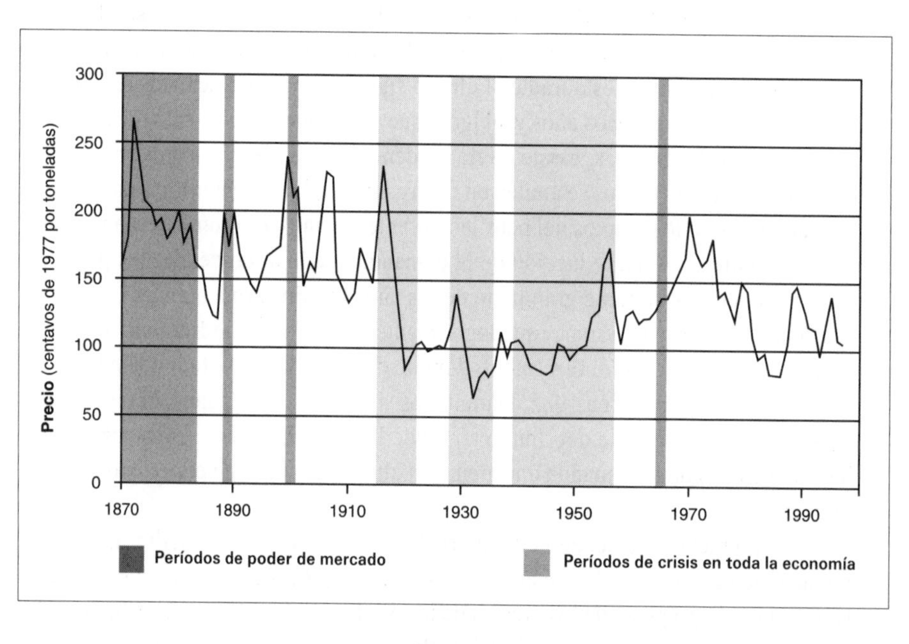

FIGURA 4-3.
PRECIOS REALES DEL COBRE, CON LA OCURRENCIA DE CARTELES, GUERRAS, GRANDES DEPRESIONES Y OTRAS DISTORSIONES DEL MERCADO, 1870-1997

Fuentes: Herfindahl 1959 y Mikesell 1979, actualizados en Howie 2001.

El trabajo de Herfindahl lleva a cuestionar –al menos para el cobre, desde 1918– la premisa antes propuesta de que una disminución en el poder de mercado a través del tiempo ha introducido un sesgo descendente en nuestras medidas de los precios de la escasez para los productos minerales no combustibles. También plantea la posibilidad de que las tendencias a largo plazo de los precios reales de los productos minerales puedan contener quiebres o movimientos descendentes abruptos, dejando así de mostrar las tendencias continuas parejas, supuestas tan a menudo en los estudios (especialmente en los estudios econométricos), de los precios de los productos minerales. Finalmente, el estudio de Herfindahl muestra que los esfuerzos por purgar las distorsiones introducidas por el poder de mercado y otros factores que hacen desviar los precios de sus valores de equilibrio en el mercado son, de hecho, posibles.

Quinto, Slade usa el IPP para deflactar los precios nominales de los productos minerales. Aunque este índice es ampliamente utilizado, rara vez se justifica más que para mencionar la necesidad de eliminar los efectos de la inflación. Naturalmente, hay otros deflactores que podrían utilizarse. Como hemos visto, Barnett y Morse (1963) encuentran que los precios de los bienes no extractivos son los más apropiados para sus fines. Nordhaus (1974) utiliza el costo de la mano de obra y Krautkraemer (1998) el índice de precios al consumidor (IPC). Otro candidato es el deflactor del producto interno bruto (PIB).

Conceptualmente, el deflactor utilizado debiera depender de cómo deseamos medir la escasez de recursos. Esto se hace considerando lo que la sociedad debe sacrificar –habitualmente en términos de alguna canasta de bienes– para obtener una tonelada adicional de cobre o un barril agregado de petróleo. Si el sacrificio deseado es una muestra representativa de todos los bienes y servicios (incluso aquellos utilizados tanto por los consumidores como por los productores) que configuran la economía, entonces el deflactor del PIB es el más apropiado. Si una muestra representativa de sólo los bienes y servicios de consumo mide mejor el sacrificio deseado, entonces debe usarse el IPC.

Cualquiera de estas dos canastas de bienes parecería lógicamente más apropiada que una de bienes de producción. Sin embargo, el IPP, que usan Slade y muchos otros, tiene la ventaja de que está disponible durante un tiempo prolongado. Además, hay poco que sugiera que las tendencias a largo plazo de los precios reales de minerales se verían significativamente modificadas si se usara el deflactor del PIB o el IPC (ver Figura 4-4).[12]

Una falencia más seria del IPP y otros deflactores usados comúnmente deriva de su tendencia a sobrestimar la inflación, como resultado de su fracaso en dar cuenta adecuadamente de los mejoramientos en la calidad de los productos, la in-

12 Sabemos, a raíz de nuestra anterior discusión sobre Nordhaus (1974), que la utilización del costo de la mano de obra hace una gran diferencia. Por el hecho de que los costos de la mano de obra hayan subido mucho más que los costos de la mayoría de los bienes y servicios, deflactar por los costos de mano de obra produce precios reales de los minerales que muestran una clara tendencia descendente en el largo plazo. Deflactar por la mano de obra es apropiado cuando se desea medir el sacrificio en términos de cuánto trabajo (ocio) se puede comprar por el precio de una unidad adicional de un producto mineral. Sin embargo, como se señaló anteriormente, no refleja el hecho de que los costos crecientes de la mano de obra a través del tiempo se deban en parte a los mejoramientos en la calidad de la mano de obra. Además, sugiere que la canasta apropiada para medir los costos de oportunidad contiene un solo bien, los servicios de mano de obra.

troducción de otros nuevos y las oportunidades que tienen los consumidores de sustituir los bienes cuyos precios estén subiendo (ver Recuadro 4-1). Esto no sería problema para nuestros fines si los precios informados para los productos minerales estuvieran igualmente sesgados, pero claramente no es así. El efectuar ajustes apropiados para tomar en cuenta cambios en la calidad, productos nuevos y sustituciones por los usuarios no modificaría significativamente el precio de una calidad específica de petróleo crudo u otros productos minerales. Por consiguiente, nuestra serie a largo plazo para los precios reales de los productos minerales subestima las tendencias verdaderas (Svedberg y Tilton, por publicarse).

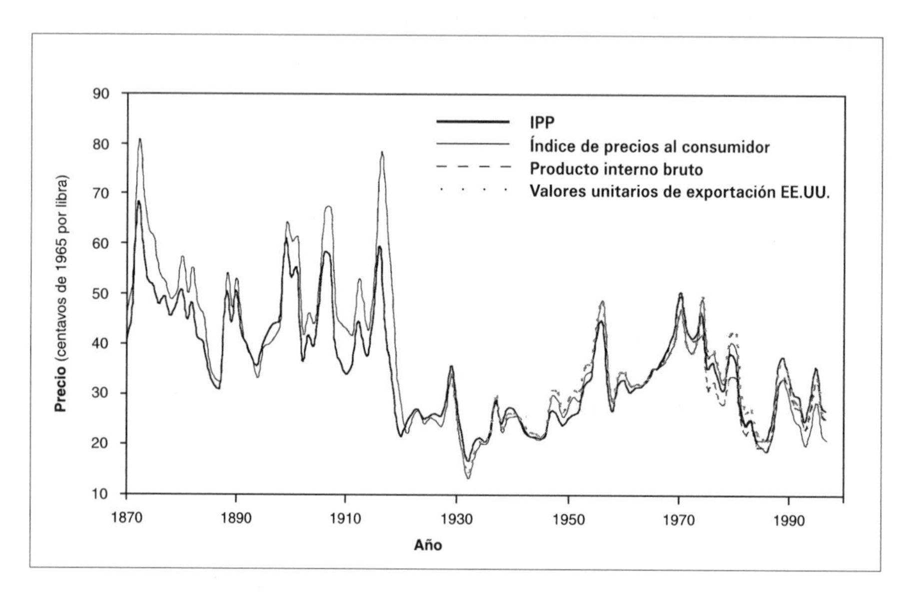

FIGURA 4-4

PRECIO REAL DEL COBRE DEFLACTADO POR EL INDICE DE PRECIOS AL PRODUCTOR, EL INDICE DE PRECIOS AL CONSUMIDOR, EL DEFLACTOR DEL PRODUCTO NACIONAL BRUTO Y LOS VALORES UNITARIOS DE EXPORTACIONES DE EE.UU., 1870-1997

Fuentes: El precio del cobre y el deflactor del índice de precios al productor están tomados de Potter y Christy 1962, Manthy 1978 y Howie 2001. El deflactor del índice de precios al consumidor es el índice de precios al consumidor para todos los consumidores urbanos. Está tomado de *Historical Statistics of the United States to 1970*, disponible en el sitio web http://www.lib.umich.edu/libhome/Documents.center/ historiccpi.html, para los años 1870 a 1912, y http://stats.bls.gov/ cpihome.htm, el sitio web del U.S. Bureau of Labor Statistics, para los años 1913 a 1997. El deflactor del producto interno bruto es el Deflactor Implícito de Precios NIPA-GDP. Proviene del *Survey of Current Business, August 2000*, disponible en el sitio http://www.bea.doc.gov/bea/dn/st-tabs.htm, perteneciente al U.S. Bureau of Economic Analysis, para los años 1929 a 1997. El Índice de Valores Unitarios de Exportaciones de los EE.UU. indica los cambios en los precios de los bienes que exporta EE.UU. Está tomado del Fondo Monetario Internacional (mensual) para los años 1965 a 1997.

La Figura 4-5 ilustra, en cierta medida, la magnitud potencial de este sesgo. Muestra el precio real del petróleo crudo durante el período 1870-1998, deflactado primero por el IPP, luego por el IPP menos 0,75% anual y, finalmente, por el IPP menos 1,25% anual. El precio del petróleo correctamente ajustado para reflejar la inflación bien podría caer en algún lugar entre estas dos últimas curvas. De ser así, la tendencia a largo plazo de los precios reales del petróleo –que aparece bastante plana durante el período 1870-2000 al deflactarlos por el IPP– claramente ha estado subiendo. Ocurren cambios comparables en las tendencias a largo plazo de otros productos minerales al ajustar sus precios en forma similar, planteando dudas respecto de las conclusiones de Barnett y Morse, además de muchos otros investigadores, en torno a la estabilidad de los precios reales de los productos minerales en el último siglo.

Las reservas antes descritas, en relación con el modelo de Slade, son todas inquietudes legítimas. Lo que es menos claro es cómo éstas, especialmente si se combinan entre sí, afectan sus hallazgos y las implicancias para la disponibilidad a largo plazo de los productos minerales. Volveremos a tocar este tema al final de este capítulo.

RECUADRO 4-1.
LOS DEFLACTORES COMUNES SOBRESTIMAN LA INFLACIÓN

Durante algún tiempo, los economistas y otros han reconocido que nuestros deflactores comunes sobrestiman la inflación. Por ejemplo, Hamilton (2001), utilizando un procedimiento de estimación indirecta, sugirió recientemente que el IPC sobrestimó la inflación en alrededor de 3 % anual entre 1974 y 1981 y en alrededor de 1 % entre 1981 y 1991.

Hace varios años, una comisión asesora del Congreso estimó que el IPC de los EE.UU. sobrestima la inflación en 1,1 % anual (U.S. Senate, Committee on Finance 1996; Boskin y otros 1998; Moulton y Moses 1997). La mayor parte de este sesgo (0,6 %) se atribuye a la introducción de nuevos bienes y mejoramientos en la calidad de los bienes existentes, que el IPC a menudo ignora. Lo demás refleja el fracaso del índice de precios al consumidor de dar cuenta adecuadamente de las sustituciones de los consumidores en repuesta a los cambios en los precios (0,4 %) y de los descuentos y otros mejoramientos en las ventas al detalle (0,1 %).

Más recientemente, un estudio patrocinado por el National Research Council (Schultze y Mackie 2002) examina diversas inquietudes conceptuales y empíricas en relación con la medida del IPC, planteando algunas dudas respecto de las cifras específicas citadas por la comisión asesora del Congreso. En cualquier caso, estos porcentajes exactos supuestamente no son aplicables al IPP. No obstante, hay pocas dudas de que el IPP también sobrestima la tasa de inflación.

COSTOS DE USO

Nuestra tercera medida económica de las tendencias de largo plazo de la disponibilidad de recursos son los costos de uso. Como se señaló en los Capítulos 2 y 3, los costos de uso son el valor presente de las utilidades futuras que pierde una mina como resultado de aumentar la producción actual en una unidad. Además, es importante recalcar que la mina relevante es el productor marginal, ya que el precio de mercado actual apenas cubre sus costos de extracción más los costos de uso. Las minas intramarginales gozan de costos de extracción relativamente bajos, gracias a que cuentan con minerales especialmente buenos u otras consideraciones. De manera que expandir la producción actual en una unidad hace que las minas intramarginales sufran una mayor pérdida de utilidades futuras que los productores marginales, pero esta pérdida refleja tanto los costos de uso como la renta ricardiana asociada con la calidad de las reservas (ver Figura 3-2).

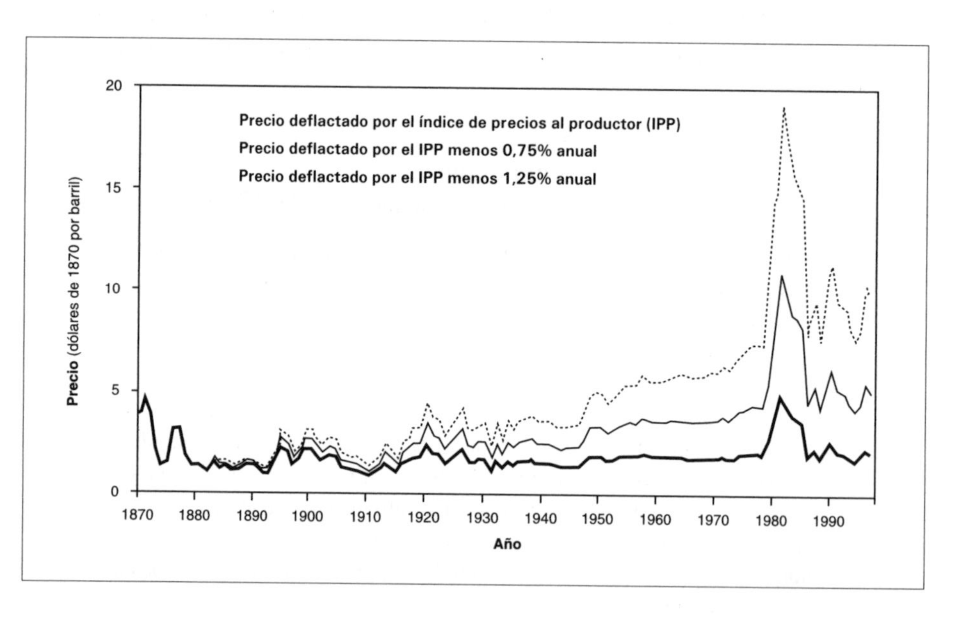

FIGURA 4-5

PRECIO REAL DEL PETRÓLEO DEFLACTADO POR EL ÍNDICE DE PRECIOS AL PRODUCTOR (IPP), IPP MENOS 0,75% ANUAL E IPP MENOS 1,25% ANUAL, 1870-1997

Fuentes: Para los precios del petróleo deflactados por el IPP: Potter y Christy 1962, Manthy 1978, Slade 1982, actualizados en Howie 2001.

Aunque Hotelling, Slade y otros prevén, sobre una base teórica, que los costos de uso subirán a lo largo del tiempo a alguna tasa porcentual fija, este resultado sólo es válido bajo un conjunto bastante restrictivo de condiciones, como señala explícitamente Hotelling (ver Capítulo 2). Por ejemplo, él supone un solo mineral homogéneo (por ende no hay diferencias en la ley o en otras características) y ningún cambio tecnológico. Relajando cualquiera de estos supuestos permite que los costos de uso sigan otras tendencias, entre ellas una disminución en el largo plazo. De este modo, si el desarrollo de energía solar barata hiciera poco rentable la producción de carbón y gas natural, los costos de uso asociados con la producción de estos dos combustibles caerían a cero, porque no habría ninguna pérdida de utilidades futuras como resultado de producir más hoy.

Así, se hace necesario medir las tendencias en términos de costos de uso. No es sorprendente que las minas marginales no informen (y probablemente rara vez estén conscientes de) el valor presente neto esperado de la pérdida de utilidades futuras que incurren hoy al aumentar su producción en una unidad adicional. Esto significa que son necesarias las medidas indirectas de los costos de uso. Suponiendo mercados de recursos competitivos y ciertas otras condiciones, los costos de uso reflejan el valor *in situ* (el valor en el suelo antes de su extracción) de las reservas que la mina marginal posee y está explotando. A su vez, y nuevamente bajo las condiciones adecuadas, esto se aproxima a los costos requeridos para encontrar tales reservas. Por consiguiente, existen tres métodos indirectos para estimar las tendencias a largo plazo de los costos de uso para los productos minerales: la diferencia entre el precio de mercado y los costos marginales de producción; el valor *in situ* de las reservas marginales; y, los costos esperados de exploración para encontrar nuevas reservas marginales.

Ninguna de estas medidas es fácil de estimar durante períodos prolongados, debido a la escasez de datos y otros problemas. Por consiguiente, los estudios publicados sobre los costos de uso son mucho menos numerosos que aquellos que tratan de los precios de minerales. Asimismo, los estudios que sí existen llegan a distintas conclusiones. Unos pocos (Fisher 1981; Stollery 1983; Sadorsky 1991) encuentran evidencia de costos de uso crecientes. Halvorsen y Smith (1991) no encuentran ninguna tendencia significativa. Otros (Farrow 1985; Pesaran 1990; Lasserre y Ouellette 1991) concluyen que los costos de uso están disminuyendo.

Parte de la explicación de esta situación confusa reside en las diferencias entre los estudios. Utilizan distintas metodologías, examinan diversos conjuntos de productos minerales y abarcan diferentes períodos.

Sin embargo, tal vez más importante sea el hecho de que los costos de uso, aunque sean un *constructo* intelectual fascinante, posiblemente tengan poca o ninguna significación en la práctica. Como observan Kay y Mirrlees (1975), los costos de uso son insignificantes cuando se descuentan hasta el presente para productos minerales que son lo suficientemente abundantes como para durar largo tiempo –50 a 100 años– que es el caso de muchos de ellos. Cairns (1998, 20) llega a la misma conclusión, en parte sobre la base de su intento (Cairns 1982) de medir los costos de uso de los recursos de níquel de Inco. A su vez, Adelman (1990) encuentra que los costos de uso del petróleo son insignificantes.[13]

El comportamiento de los gerentes de minas también sugiere que los costos de uso son en gran parte insignificantes. Es difícil, si no imposible, encontrar casos donde los gerentes de minas deliberadamente hayan reducido una producción rentable sobre la base de que el aumento resultante de las utilidades futuras, descontadas correctamente, compensa con creces la pérdida de las utilidades actuales. De hecho, es raro encontrar gerentes de minas que siquiera conozcan el concepto de los costos de uso.[14]

La incertidumbre creada por la nueva tecnología y otros desarrollos inesperados tal vez simplemente haga que los costos de uso sean mayor o totalmente irrelevantes en el mundo real. Radetzki (1992), por ejemplo, señala que Suecia se benefició mucho de la explotación de sus yacimientos de mineral de hierro desde comienzos del siglo XX hasta los años 50. Sin embargo, la capacidad de esas minas para competir, basada mayormente en su cercanía a las industrias de acero de Europa, se vio mermada durante los años 60 y 70 por la revolución tecnológica en el transporte marítimo de productos a granel. Si Suecia hubiera decidido guardar esos yacimientos con la esperanza de obtener utilidades (descontadas) incluso mayores en el futuro, el país probablemente no habría cosechado ningún beneficio. Los costos de uso verdaderos de explotar el mineral de hierro de Suecia en la primera mitad del siglo XX aparentemente fueron nulos.

Es fácil encontrar otros ejemplos de recursos otrora valiosos que pasaron a ser inservibles como resultado de la nueva tecnología y otros desarrollos. A pesar de las inquietudes de Jevons, señaladas en el Capítulo 2, el Reino Unido no ha agotado sus recursos de carbón. Sin embargo, sus minas son en gran parte inservibles como resultado del descubrimiento y desarrollo de otras mucho más baratas en otros lugares, además del desarrollo posterior de fuentes de energía alternativas. La invención de un fertilizante artificial en Alemania, a comienzos del siglo XX, destruyó la pujante industria del guano en Chile. Muchas potenciales minas de asbestos y mercurio han perdido el valor que pudieran haber tenido a medida que las inquietudes de salud y seguridad han devastado la demanda de estos productos.

Si en la práctica los costos de uso son bastante modestos, como sugiere la discusión anterior, entonces es posible desprender varias implicancias al respecto.

13 Sin embargo, Adelman señala que esto podría cambiar. Arguye que, sin los esfuerzos colusorios de la OPEP, el precio del petróleo sería más bajo y la producción más alta. Si esto hiciera subir los costos de explotar nuevas reservas, los costos de uso también aumentarían.

14 Sin embargo, como señala Cairns (1998), los gerentes de minas tal vez no se preocupen de los costos de uso porque la capacidad óptima de la mina automáticamente optimiza el valor de las reservas. Los gerentes determinan el valor presente de estas reservas a través de su elección de inversiones en capacidad productiva. Por ende, la producción está determinada por la capacidad.

Primero, los hallazgos contrapuestos antes señalados respecto de las tendencias de los costos de uso no son sorprendentes, porque aunque las tendencias de los costos de uso estén subiendo, bajando o estancadas, supuestamente serán superadas por otros factores más importantes.

Segundo, los recursos minerales conocidos pero no explotados tienen valor en gran parte debido a su renta ricardiana, la que surge gracias a la capacidad de elaborar productos minerales a costos más bajos que algunos de los yacimientos en explotación. Los yacimientos marginales que carecen de renta ricardiana tienen muy poco valor.

Tercero, las compañías mineras y otras tienen pocos incentivos para posponer el desarrollo o de "dejar para más adelante" los futuros yacimientos no explotados pero potencialmente rentables.

RESUMEN

Como se indicó en el Capítulo 3, las tres medidas económicas recién examinadas reflejan distintos aspectos o fuentes de la escasez. Los costos de uso se centran en la disponibilidad del recurso aún sin explotar. Los costos marginales se centran en el proceso de producción y su impacto sobre la disponibilidad. Los precios reflejan los efectos combinados de ambas tendencias en la disponibilidad *in situ* y en la producción.

La evidencia disponible sobre los costos de producción indica que los efectos de la nueva tecnología, tendiente a reducir los costos, han compensado con creces los efectos de la disminución de la calidad de los recursos en explotación, que tiende a aumentarlos. Por consiguiente, durante el último siglo, los costos de producción, al menos cuando se miden en términos de insumos físicos, han caído considerablemente en lo que respecta a los productos minerales. Sin embargo, parte de esta disminución simplemente podría estar reflejando el fracaso de los estudios disponibles que toman en cuenta los cambios en los precios de los insumos, en particular, el alza de los salarios reales durante el último siglo.

Las tendencias históricas de los costos de uso y los precios de productos minerales son aún menos claras. En el caso de los costos de uso, es bastante difícil obtener datos confiables para un período prolongado. Los pocos estudios disponibles llegan a distintas conclusiones, probablemente porque los costos de uso son bastante modestos en la práctica.

No es un problema contar con datos confiables para los precios de minerales, sí lo es la interpretación de las tendencias. Algunos estudios ven el precio a largo plazo como estacionario y concluyen que la escasez creciente no es un inconveniente. Otros, encuentran tendencias que siguen una curva en forma de U a través del tiempo y concluyen que la escasez está creciendo. A esto deben agregarse las dificultades de identificar el deflactor de precios apropiado y las incertidumbres que introducen, como asimismo las de estimar una tendencia que se modifica periódicamente en forma desconocida.

A pesar de tales dificultades, la evidencia disponible permite llegar a dos conclusiones generales.

1.Durante el último siglo, un período en el que la demanda de productos minerales ha hecho explosión y el mundo ha consumido más recursos minerales que durante toda su historia previa, el agotamiento de recursos minerales no ha producido problemas de escasez serios. El consumo de la mayoría de los productos minerales actualmente es tan alto como siempre. Aunque las tendencias a largo plazo de los precios de minerales pueden ser confusas, claramente no han obligado al mundo a reducir el consumo de minerales. Como observa Krautkraemer (1998, 2091):

> Los indicadores económicos de la escasez de recursos no renovables no entregan evidencia de que los recursos no renovables se estén tornando significativamente más escasos. Más bien, sugieren que otros factores de la oferta de recursos no renovables, en especial el descubrimiento de nuevos yacimientos, el progreso tecnológico de la tecnología extractiva y el desarrollo de sustitutos de los recursos, han mitigado el efecto de escasez resultante del agotamiento de los yacimientos existentes.

En síntesis, los últimos 130 años han sido bastante benevolentes desde la perspectiva de la disponibilidad de recursos minerales.

2.La historia también sugiere fuertemente que las tendencias a largo plazo de los precios de minerales y, más generalmente, de la disponibilidad de productos minerales, no son fijas. Varían, de vez en cuando, en respuesta a cambios en el ritmo de introducción de nuevas tecnologías, de la tasa de crecimiento económico mundial y de otros determinantes que están en la base de la oferta y demanda de minerales. Esto no sólo complica la tarea de identificar las tendencias a largo plazo, predominantes en el pasado, sino que es una advertencia contra la utilización de dichas tendencias para predecir el futuro. Dado que las tendencias han cambiado en el pasado, supuestamente también pueden hacerlo en el futuro.

Al parecer, las lecciones que pueden aprenderse del pasado están muy bien resumidas por Neumayer (2000, 309) cuando dice:

> Hasta ahora, los pesimistas se han equivocado en sus predicciones. Pero algo también es claro: concluir que no hay motivo alguno para preocuparse equivale a cometer el mismo error del que pecan frecuentemente los pesimistas –es decir, el error de extrapolar las tendencias

pasadas. El futuro es algo inherentemente incierto y la aflicción (o alivio, si se quiere) de los humanos es no saber con certeza qué traerá el futuro. El pasado puede ser una guía deficiente para el futuro cuando las circunstancias están cambiando. El que los alarmistas hayan gritado "¡lobo!" en forma regular y errónea no implica *a priori* que los bosques sean seguros.

REFERENCIAS

Adelman, M. A. (1990). "Mineral depletion, with special reference to petroleum". *Review of Economics and Statistics* 72(1): 1-10. This article is reprinted in M.A. Adelman (1993). **The Economics of Petroleum Supply: Papers by M.A. Adelman 1962-1993**. Cambridge, MA, MIT Press, ch. 11.

Agbeyegbe, T. D. (1993). The stochastic behavior of mineral-commodity prices. **Models, Methods, and Applications in Econometrics: Essays in Honor of A.R. Bergstrom.** P. C. B. Phillips. Oxford, Blackwell Science: 339-352.

Ahrens, W. A. and V. R. Sharma (1997). "Trends in natural resource commodity prices: deterministic or stochastic?". **Journal of Environmental Economics and Management** 33: 59-77.

Barnett, H. J. (1979). Scarcity and growth revisited. **Scarcity and Growth Reconsidered.** V. K. Smith. Baltimore, Johns Hopkins Press for Resources for the Future: 163-217.

Barnett, H. J. and C. Morse (1963). **Scarcity and Growth.** Baltimore, Johns Hopkins for Resources for the Future.

Berck, P. (1995). Empirical consequences of the Hotelling principle. **Handbook of Environmental Economics**. D. Bromley. Oxford, Basil Blackwell: 202-221.

Berck, P. and M. Roberts (1996). "Natural resource prices: will they ever turn up?". **Journal of Environmental Economics and Management** 31: 65-78.

Boskin, M. J. and others. (1998). "Consumer prices, the consumer price index, and the cost of living". **Journal of Economic Perspectives** 12(1): 3-26.

Cairns, R. D. (1982). "The Measurement of Resource Rents: An Application to Canadian Nickel". **Resources Policy** 8(2): 109-116

Cairns, R. D. (1998). "Are mineral deposits valuable? A reconciliation of theory and practice". **Resources Policy** 24(1): 19-24.

Cleveland, C. J. (1991). Natural resources scarcity and economic growth revisited: economic and biophysical perspectives. **Ecological Economics: The Science and Management of Sustainability.** R. Costanza. New York, Columbia University Press: 289-317.

Eckbo, P. L. (1976). **The Future of World Oil.** Cambridge, MA, Ballinger.

Farrow, S. (1985). "Testing the efficiency of extraction from a stock resource". **Journal of Political Economy** 93(3): 452-487.

Fisher, A. C. (1981). **Resource and Environmental Economics**. Cambridge, Cambridge University Press.

Fondo Monetario Internacional (monthly). **International Financial Statistics**. Washington, DC, International Monetary Fund.

Hall, D. C. and J. V. Hall (1984). "Concepts and measures of natural resource scarcity with a summary of recent trends". **Journal of Environmental Economics and Management** 11(4): 363-379.

Halvorsen, R. and T. R. Smith (1991). "A test of the theory of exhaustible resources". **Quarterly Journal of Economics** 106(1): 123-140.

Hamilton, B. W. (2001). "Using Engel's Law to estimate CPI bias". **American Economic Review** 91(3): 619-630.

Heal (1981). "Scarcity, efficiency and disequilibrium in resource markets". **Scandinavian Journal of Economics** 83(2): 334-351.

Herfindahl, O. C. (1959). **Copper Costs and Prices**. Baltimore, Johns Hopkins for Resources for the Future.

Howie, P. (2001). **Long-Run Price Behavior of Nonrenewable Resources Using Time-Series Models.** Unpublished manuscript, Colorado School of Mines. Golden, CO.

Johnson, M. H. and others (1980). "Natural resource scarcity: empirical evidence and public policy". **Journal of Environmental Economics and Management** 7(4): 256-271.

Kendrick, J. W. (1961). **Productivity Trends in the United States Economy.** Princeton, Princeton University Press for the National Bureau of Economic Research.

Krautkraemer, J. A. (1998). "Nonrenewable resource scarcity". **Journal of Economic Literature** 36: 2065-2107.

Lasserre, P. and P. Ouellette (1991). "The measurement of productivity and scarcity rents: the case of asbestos in Canada". **Journal of Econometrics** 48(3): 287-312.

Manthy, R. S. (1978). **Natural Resource Commodities--A Century of Statistics**. Baltimore, Johns Hopkins for Resources for the Future.

Mikesell, R. F. (1979). **The World Copper Industry**. Baltimore, Johns Hopkins for Resources for the Future.

Moulton, B. R. and K. E. Moses (1997). "Addressing the quality change issue in the consumer price index". **Brookings Papers on Economic Activity** (1): 304-366.

Nappi, C. (1988). Canada: an expanding industry. **The World Aluminum Industry in a Changing Energy Era**. M.J. Peck. Washington, DC, Resources for the Future: 175-221.

Neumayer, E. (2000). “Scarce or abundant? The economics of natural resource availability”. **Journal of Economic Surveys** 14(3): 307-335.

Nordhaus, W. D. (1974). “Resources as a constraint on growth”. **American Economic Review** 64(2): 22-26.

Pesaran, M. H. (1990). “An econometric analysis of exploration and extraction of oil in the U.K. continental shelf”. **Economic Journal** 100(401): 367-390.

Pindyck, R. S. (1978). "The optimal exploration and production of nonrenewable resources". **Journal of Political Economy** 86(5): 841-861.

Pindyck, R. S. (1999). “The long-run evolution of energy prices”. **Energy Journal** 20(2): 1-27.

Potter, N. and Christy, Jr., F. T. (1962). **Trends in Natural Resource Commodities: Statistics of Prices, Output, Consumption, Foreign Trade, and Employment in the United States, 1870-1957.** Baltimore, Johns Hopkins for Resources for the Future.

Radetzki, M. (1992). Economic development and the timing of mineral exploitation. **Mineral Wealth and Economic Development**. J. E. Tilton. Washington, DC, Resources for the Future: 39-57.

Rogers, C.D. (1992). Tin. **Competitiveness of Metals: The Impact of Public Policy**. M.J. Peck and others. London, Mining Journal Books: 242-265.

Sadorsky, P. A. (1991). “Measuring resource scarcity in non-renewable resources with an application to oil and natural gas in Alberta”. ***Applied Econ***. 23(5): 975-84.

Schmitz, C., ed. (1995). **Big Business in Mining and Petroleum**. Brookfield, VT, Ashgate.

Schultze, C. and C. Mackie (eds) (2002). "At what Price? Conceptualizing and Measuring Cost-of-Living and Price Indexes". Washington, DC. National Academy Press.

Slade, M. E. (1982). “Trends in natural-resource commodity prices: an analysis of the time domain”. **Journal of Environmental Economics and Management** 9: 122-137.

Slade, M. E. (1988). “Grade selection under uncertainty: least cost last and other anomalies”. **Journal of Environmental Economics and Management** 15: 189-205.

Slade, M. E. (1992). **Do Markets Underprice Natural-Resource Commodities?** Working Paper Nr. 962. Washington, DC, The World Bank.

Smith, V. K. (1979). “Natural resource scarcity: a statistical analysis”. **Review of Economics and Statistics** 61: 423-427.

Stollery, K. R. (1983). “Mineral depletion with cost as the extraction limit: a model applied to the behavior of prices in the nickel industry”. **Journal of Environmental Economics and Management** 10(2): 151-165.

Svedberg, P. and J. E. Tilton (forthcoming). “Price trends for nonrenewable resources with deflated deflators”. Unpublished paper.

Torries, T. F. (1988). "Competitive cost analysis in the mineral industries". **Resources Policy** 14(3): 193-204.

Torries, T. F. (1995). "Comparative costs of nickel sulphides and laterites". **Resources Policy** 21(3): 179-187.

U.S. Bureau of Mines (1987). **An Appraisal of Minerals Availability for 34 Commodities**. Washington, DC, Government Printing Office.

U.S. Senate, Committee on Finance (1996). **Final Report of the Advisory Commission to Study the Consumer Price Index.** Washington, DC, Government Printing Office.

Uri, N. D. and R. Boyd (1995). "Scarcity and growth revisited". **Environment and Planning A** 27: 1815-1832.

CAPÍTULO 5

EL FUTURO INCIERTO

Uno de los hallazgos importantes que emergen del capítulo anterior y su revisión de las tendencias históricas de la disponibilidad de recursos es que resulta improbable que la extrapolación de tendencias pasadas entregue predicciones confiables, sean estas proyecciones de precios, costos de producción o costos de uso.[1] Esto, desde luego, no constituye una gran sorpresa. La validez de tales proyecciones requiere que las tendencias de los factores subyacentes importantes que rigen el pasado –además del complejo mecanismo de interacción entre ellos– permanezcan invariables durante el período de predicción. O, alternativamente, si hay cambios, estos deben contrapesarse totalmente de manera que su efecto neto sea nulo. A veces una de estas condiciones puede sustentarse y las predicciones pueden resultar bastante precisas. Pero esto se debe más bien a la suerte que a la capacidad real de discernir el futuro (ver Recuadro 5-1).

Entonces, ¿cómo tendríamos que proceder? ¿Qué podemos decir respecto del futuro? El enfoque alternativo, que seguiremos aquí, analiza los importantes determinantes subyacentes a la oferta y demanda de minerales en el largo plazo, con una mayor probabilidad de eficacia que el sistema de extrapolación de tendencias pasadas. Aunque el capítulo comienza con una ojeada a las perspectivas de déficit durante las siguientes décadas, el foco está puesto mayormente en el largo plazo, período que comienza 50 años más adelante y se extiende al futuro lejano.

El capítulo introduce la curva de oferta acumulativa a largo plazo, un dispositivo expositivo útil para categorizar los importantes determinantes de la disponibilidad de minerales. También distingue entre lo que conocemos actualmente de lo que es conocible y sugiere sus diferencias.

EL CORTO PLAZO

Durante los siguientes 50 años, es poco probable que el mundo enfrente serios déficits de productos minerales como resultado del agotamiento de recursos.

1 Este capítulo se basa en una charla que he dado a través de los años, con frecuencia a geólogos y geotécnicos. También toma datos de Tilton y Skinner 1987 y Tilton 1991.

Aunque se prevé que la demanda mundial seguirá creciendo, las reservas de casi todos los productos minerales son lo suficientemente grandes como para ajustarse a la demanda esperada, al menos durante varias décadas, incluso a tasas de crecimiento superiores a las actuales (ver Tabla 3-1). También sabemos que las reservas no son fijas, que, más apropiadamente, se las considera inventarios de trabajo. Mediante la exploración y otros mecanismos, las compañías pueden agregar, y de hecho agregan, reservas a lo largo del tiempo. Y ello ha ocurrido regularmente a nivel mundial en el pasado reciente. Esta situación –junto con la estabilidad o disminución de los costos de producción y los precios de muchos productos minerales durante las últimas décadas– ha producido un amplio consenso entre los expertos de que la amenaza del agotamiento de los minerales no constituye una preocupación inmediata.[2]

Naturalmente, es posible que de todas formas se produzcan déficits de productos minerales. El agotamiento de minerales, como se señaló en el Capítulo 1, es sólo uno de varios factores que pueden amenazar la disponibilidad. Otros incluyen guerras, accidentes, huelgas, inestabilidad política y carteles. Cuando la demanda crece más rápidamente de lo previsto, puede producirse una inversión insuficiente en minas nuevas y en instalaciones de procesamiento. Además, los mercados de productos minerales son conocidos por su inestabilidad cíclica, presentando déficits y precios altos cuando la economía mundial está en auge, y un exceso de existencias y precios bajos cuando la economía mundial está deprimida. En contraste con el agotamiento de minerales, la influencia de estos trastornos del mercado tiende a ser temporal, durando a menudo no más de varios años y rara vez más de una o dos décadas. No obstante, durante los próximos 50 años, e incluso en el futuro remoto, es casi seguro que cada cierto tiempo dichos trastornos provocarán déficits temporales de productos minerales.

RECUADRO 5-1.
M. KING HUBBERT

M. King Hubbert (1962, 1969) era un geofísico que creía que la producción de petróleo y otros recursos minerales sigue una curva con forma de campana, primero subiendo hasta una cúspide y luego bajando por un camino simétrico hasta llegar a cero. En base a esta propuesta, una vez que la tasa de aumento de la producción comienza a disminuir, puede extrapolarse la curva pasando por la cúspide y descendiendo por el otro lado. Así, Hubbert predijo, a comienzos de los años 60, que la producción de petróleo llegaría

2 Como indica la cita de Kesler en el Capítulo 2, este punto de vista, aunque generalizado, no es universal.

continuación recuadro 5-1

a su cúspide en los EE.UU. dentro de una década. Cuando la tendencia descendente se dio en 1970, sus puntos de vista captaron una atención generalizada y muchos adherentes.

Las curvas de Hubbert y su uso para las predicciones siguen teniendo varios fieles seguidores. Por ejemplo Campbell (1997), utilizando variantes del método de Hubbert, concluye que la recuperación máxima del petróleo convencional en el mundo es de 1,8 billones de barriles. Define la recuperación máxima como la producción acumulada hasta la fecha, las reservas actuales y la cantidad de petróleo que aún falta por descubrir. Más recientemente, basándose también en el enfoque de Hubbert, Deffeyes (2001, 158) sostiene que la producción mundial de petróleo podría incluso llegar a su cima en 2003, y que "no hay nada razonable que pueda retrasar la cúspide hasta 2009."

La base lógica de la metodología de Hubbert descansa en las características físicas de los yacimientos de petróleo. Ignora la influencia de los acontecimientos económicos, políticos y tecnológicos. Muchos analistas no consideran que las proyecciones basadas en las curvas Hubbert sean muy confiables, por el hecho de que los precios más altos, las guerras, las nuevas tecnologías de exploración y extracción pueden ir alterando, a través del tiempo, el curso de la producción de petróleo.

EL LARGO PLAZO

Hay bastante menos acuerdo entre los expertos respecto de la amenaza del agotamiento de minerales en el largo plazo. En el debate en curso están los pesimistas, quienes, a menudo científicos e ingenieros, están convencidos de que la Tierra no puede soportar indefinidamente la demanda mundial de petróleo y otros recursos minerales.[3] Por otra parte están los optimistas, con frecuencia economistas, quienes, con igual convicción, creen que la Tierra –con la ayuda de incentivos de mercado, políticas públicas apropiadas, sustitución de materiales, reciclaje y nueva tecnología– puede seguir satisfaciendo las necesidades del mundo hasta un futuro remoto.[4]

3 Exponentes conocidos de la escuela pesimista incluyen a Kesler (1994); Meadows y otros (1972); Meadows y otros (1992); Park (1968); y Youngquist (1997).

4 Julian L. Simon (1980, 1981) es tal vez el exponente más conocido de la escuela optimista. Otros incluyen a Adelman (1973, 1990), Beckerman (1995) y Lomborg (2001).

DIFERENTES PARADIGMAS Y FE EN LA TECNOLOGÍA

El porqué los expertos siguen estando tan polarizados luego de décadas de discusiones y debates no está muy claro. Parte de la explicación reside en los distintos paradigmas que utiliza cada escuela (Tilton 1996). Como se señaló en el Capítulo 1, los pesimistas ven los recursos minerales como no renovables a lo largo de cualquier horizonte temporal relevante para la raza humana. De manera que la oferta es un *stock* fijo que sólo puede disminuir con el uso. Además, muchos creen que la expansión de la población y el alza de los ingresos per cápita están haciendo crecer rápidamente la demanda de productos minerales, acelerando el día en que los recursos minerales se acabarán a nivel mundial.

Los optimistas ven el agotamiento de recursos en forma radicalmente distinta. Encuentran que el carácter de *stock* fijo definitivo de la oferta de recursos no renovables es irrelevante, en parte porque las cantidades de recursos minerales contenidos en la corteza terrestre podrían durar millones –y en algunos casos hasta miles de millones– de años de acuerdo a las tasas actuales de consumo (ver Tabla 3-2). Además, muchos productos minerales no renovables –todos los metales, por ejemplo– no se destruyen cuando se utilizan. La cantidad de dichos recursos encontrados en y sobre la corteza terrestre es la misma de siempre.[5] Asimismo, la sustitución de recursos abundantes y tal vez renovables se ve bastante prometedora en el largo plazo, en especial con respecto al petróleo y otras fuentes no renovables de energía.

Finalmente –y éste es un punto sobre el que un número creciente de pesimistas están de acuerdo– los aumentos de los costos de extracción y los precios cortarían la demanda mucho antes de extraerse la totalidad de un producto mineral de la corteza terrestre. Por consiguiente, está surgiendo un consenso creciente entre los exponentes más informados de ambas escuelas de que el paradigma del *stock* fijo debiera ceder su lugar a una alternativa centrada en los costos de oportunidad que implica encontrar y extraer los recursos minerales.

El paradigma de los costos de oportunidad enfatiza las diferencias entre los yacimientos minerales. Los yacimientos más fáciles de encontrar y de más bajo costo tienden a explotarse primero. Con el tiempo, el agotamiento de dichos yacimientos obliga a la sociedad a volcarse hacia otros de menor ley, más remotos y más difíciles de procesar. Esto tiende a provocar un alza en los costos de producción y en los precios de los productos minerales, reflejando la escasez

5 Debe señalarse que muchos pesimistas también reconocen este punto, como ilustra tan claramente la siguiente cita de Ayres (1993, 199): "El agotamiento de recursos no puede significar la desaparición física de la materia de la Tierra *per se*. Puede significar, y habitualmente se interpreta que significa un cambio en la forma, de deseable a indeseable. Las formas (o combinaciones) 'útiles' de elementos, tales como los combustibles fósiles y los minerales metálicos, se están consumiendo y transformando en formas o combinaciones 'inútiles' (p.ej., desgastadas) –como ser los desechos y los agentes contaminantes."

creciente. En efecto, si los precios suben lo suficiente, la demanda caerá a cero y la producción cesará –aun cuando sigan habiendo recursos minerales no rentables en el suelo. El agotamiento económico ocurre antes de que el agotamiento físico llegue a ser un problema.

Sin embargo, bajo el paradigma de los costos de oportunidad, la escasez creciente no es inevitable, en contraste con los indicadores de *stocks* físicos. A medida que el agotamiento está haciendo subir los costos a lo largo del tiempo, las nuevas tecnologías, el descubrimiento de nuevos yacimientos minerales de bajo costo y otros hechos los están haciendo bajar. Si las nuevas tecnologías, los nuevos descubrimientos y otros acontecimientos, tendientes a reducir los costos, compensan los episodios tendientes a aumentar los costos generados por el agotamiento, tal vez disminuya la escasez y bajen los costos y precios de los productos minerales. Como se documentó en el Capítulo 4, de hecho, esta situación favorable prevaleció durante gran parte del siglo pasado.

Los optimistas están conscientes de que el pasado no es necesariamente una buena pauta para el futuro, pero enfatizan que un alza en los precios de los productos minerales desatará un sinnúmero de fuerzas que servirán de contrapeso. En particular, los precios más altos fortalecen los incentivos económicos tendientes a desarrollar nuevas tecnologías para reducir costos, descubrir nuevos yacimientos, reciclar productos minerales obsoletos y encontrar sustitutos menos costosos. Ellos creen que tales mecanismos autocorrectores hacen que la economía sea mucho más resistente a la amenaza del agotamiento de lo que muchos suponen.

Los optimistas también señalan que el crecimiento de la población altera tanto la oferta como la demanda de los productos minerales. Aunque el hecho de que haya más personas promueve la demanda de productos minerales, lo que tiende a acelerar el agotamiento y aumentar la presión ascendente sobre los costos y precios, este mayor número de personas significa también un aumento de cerebros en condiciones de crear nuevas tecnologías, las que compensarán los efectos tendientes a elevar los costos del agotamiento. Por consiguiente, el crecimiento de la población no es tan negativo para la disponibilidad de recursos y, tal vez, no sea en absoluto negativo. Julian Simon (1981), en *The Ultimate Resource* (*El Máximo Recurso*), argumenta que sólo el máximo recurso, la inventiva humana, limita el crecimiento económico y el bienestar de la sociedad. Es interesante que este argumento fuera hasta cierto punto previsto por Vincent McKelvey, geólogo y ex director del U.S. Geological Survey. McKelvey (1973), quien sostiene que el bienestar humano, o lo que él llama el nivel promedio de vida de la sociedad, aumenta con el consumo de materias primas (metales, no metales, agua, minerales extraídos del suelo, etc.), con el consumo de todas las formas de energía y con el uso de todas las formas de inventiva (incluidas las políticas, sociales, económicas y técnicas). Por el contrario, disminuye a medida que aumenta el número de personas que deben compartir la producción total obtenida.

Sin embargo, los pesimistas están muy conscientes de que estas fuerzas en el pasado y, en particular, la nueva tecnología, lograron impedir que los costos y precios de los minerales subieran. Sin embargo, su preocupación es respecto del futuro. Ellos ven que la demanda de productos minerales aumentará rápidamente y cuestionan la sabiduría de suponer que los incentivos de mercado y la nueva tecnología podrán mantener indefinidamente a raya la escasez de minerales. Para ellos, la nueva tecnología es un arma de doble filo, que debe mirarse con cierta suspicacia. Junto con los beneficios que ofrece (productos minerales de más bajo costo), también crea serios problemas (cambios climáticos).

Como sugiere el debate entre los optimistas y los pesimistas, la disponibilidad a largo plazo de los productos minerales depende en gran medida de una carrera entre los efectos de la nueva tecnología, que tienden a reducir los costos, y los efectos del agotamiento de recursos, que tienden a aumentarlos. Aunque, durante el último siglo, la nueva tecnología ha compensado exitosamente los efectos negativos del agotamiento, el curso de la nueva tecnología en el futuro es imposible de prever. Esto significa que nadie sabe a ciencia cierta cuáles serán las tendencias futuras de la disponibilidad de recursos. De hecho, sería una tentación concluir que son "desconocibles". Sin embargo, esto puede ser demasiado pesimista. Para ilustrar porqué, introdujimos la curva de oferta acumulativa para los productos minerales.

LA CURVA DE OFERTA ACUMULATIVA

La curva de oferta acumulativa de los productos minerales muestra cómo el total (o la oferta acumulativa) de petróleo, plomo o cualquier otro producto mineral varía permanentemente en el tiempo en relación a su precio. Difiere de la curva de oferta tradicional de los textos de introducción a la economía, que muestra la cantidad de un bien ofrecido al mercado a diversos precios durante un período de tiempo específico, como un mes o un año. Las cifras de la oferta entregadas por la curva de oferta acumulativa son variables de *stock*. Aquellas proporcionadas por la curva de oferta tradicional son variables de flujo, porque pueden continuar de un período al siguiente en forma indefinida.

La curva de oferta acumulativa sólo tiene sentido para los productos elaborados en base a recursos no renovables. Para el trigo, los automóviles y muchos otros bienes, incluidos los recursos renovables,[6] la oferta acumulativa es infinita cuando el precio supera aquel que cubre los costos de producción actuales. Sin embargo, para el cobre y otros productos minerales, la oferta acumulativa a un precio determinado es fijada por las cantidades disponibles de los recursos desde los cuales es posible extraer el producto en forma rentable.

6 Esto supone, desde luego, que la explotación de los recursos renovables no supere su capacidad de regeneración.

Al igual que la curva de oferta tradicional, la curva de oferta acumulativa supone que la tecnología y todos los demás determinantes de la oferta, aparte del precio, permanecen fijos a sus niveles vigentes en la actualidad (o a otros niveles especificados). Puede haber exploración y nuevos descubrimientos, pero se supone que se mantienen invariables, tanto la tecnología de exploración como la comprensión de las ciencias geológicas.

Dado que los precios crecientes permiten la explotación de yacimientos de peor calidad y mayor costo, la curva de oferta acumulativa es positiva. Mientras más alto sea el precio, mayor será la oferta acumulativa. Sin embargo, como ilustra la Figura 5-1, hay diversas formas, con muy distintas implicancias, para la disponibilidad de recursos que son consistentes con una curva con pendiente ascendente. La curva gradualmente ascendente de la Figura 5-1(a) favorece la disponibilidad futura, ya que los pequeños incrementos en los precios permiten grandes aumentos en la oferta acumulativa. Según esta curva, a través del tiempo, el consumo acumulativo creciente aludirá, como máximo, sólo a modestos incrementos en los costos y precios de los productos minerales. En contraste, las curvas b y c reflejan situaciones en que, en algún momento, los aumentos de la oferta acumulativa hacen necesaria la explotación de yacimientos mucho más costosos, lo que, a su vez, precipita un acentuado salto en los precios.

Los múltiples factores que hacen que la disponibilidad de recursos cambie a través del tiempo caen dentro de tres grupos. El primero determina la forma de la curva de la oferta acumulativa. Abarca diversos factores geológicos, tales como la incidencia y la naturaleza de las ocurrencias minerales. El segundo determina la rapidez con que la sociedad avanza en forma ascendente por la curva de oferta acumulativa. Incluye la población, el ingreso per cápita y otros factores que configuran la demanda acumulativa de la elaboración de productos minerales primarios. El tercero incluye cambios en la tecnología y en los costos de insumos que hacen que la curva de oferta acumulativa se desplace a lo largo del tiempo.

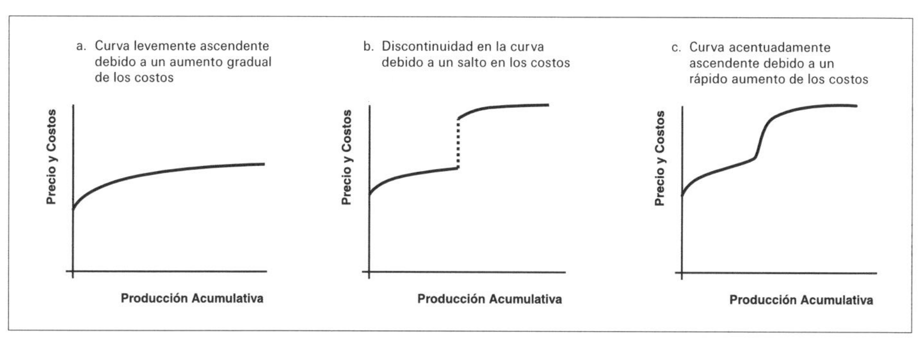

FIGURA 5-1
ILUSTRACIÓN DE CURVAS DE OFERTA ACUMULATIVAS

Fuente: Tilton y Skinner 1987.

Los primeros dos grupos de factores determinan los efectos del agotamiento, que tiende a aumentar los costos, en tanto que el tercer grupo refleja los efectos de la nueva tecnología, que tiende a reducirlos. Como hemos visto, el que los productos minerales se tornen más o menos disponibles en el futuro depende de la relativa influencia de estos tres grupos en la disponibilidad. ¿Qué sabemos, si es que sabemos algo, respecto de su probable evolución futura?

FACTORES GEOLÓGICOS

La forma de la curva de oferta acumulativa favorable a la disponibilidad futura de los productos minerales depende del número, distribución por tamaño y naturaleza de las ocurrencias minerales. Algunos geólogos, como Lasky (1950a, 1950b), sostienen que a medida que disminuye la ley –de 1,0 a 0,8 a 0,6% en el caso del cobre, por ejemplo– la cantidad de mineral disponible aumenta en incrementos cada vez mayores.[7] Esta favorable relación sugiere una distribución unimodal entre las cantidades recuperables de cobre y la ley, similar a la que aparece en la Figura 5-2(a).

Muchos otros geólogos –por ejemplo Singer (1977)– dudan de que la Madre Tierra sea tan gentil. Concuerdan con Skinner (1976, 1979, 2001), quien señala que, aunque todavía son poco comprendidos, es improbable que los procesos geoquímicos responsables de la formación de yacimientos minerales hayan creado una relación unimodal entre la ley (o más generalmente, la calidad del yacimiento) y las cantidades disponibles de cualquier producto mineral. Más bien, Skinner sostiene que la relación para muchos productos minerales probablemente presente dos cúspides, como se muestra en la Figura 5-2(b), o incluso cúspides múltiples (ver Recuadro 5-2).

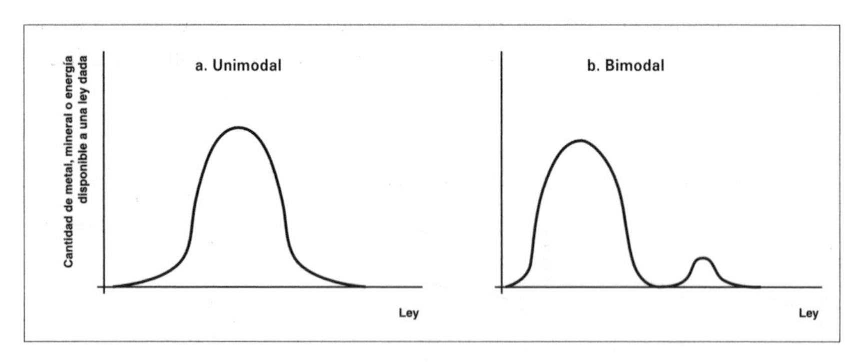

FIGURA 5-2.
DOS POSIBLES RELACIONES ENTRE LA LEY DEL MINERAL Y EL CONTENIDO DE METAL, MINERAL O ENERGÍA DEL RECURSO BASE

Fuente: Skinner 1976

7 Para un interesante análisis del trabajo de Lasky, ver DeYoung 1981.

Mientras que la relación unimodal favorece una curva de oferta acumulativa continua, con una pendiente descendente, a través de una amplia gama de cantidades y precios, la bimodal es más problemática. Implica que la curva de oferta acumulativa contiene una discontinuidad en su pendiente, como muestra la Figura 5-1(b), o un salto acentuado en su pendiente, como lo grafica la Figura 5-1(c), en el punto en que los yacimientos de alta ley (que contienen los minerales, algunos de los cuales están en explotación actualmente) estén agotados y los yacimientos de leyes mucho más bajas (que contienen los minerales comunes que conforman gran parte de la corteza terrestre) deban entrar en producción.

RECUADRO 5-2.
LA TESIS DE SKINNER

Skinner observa que la Tierra está compuesta de 92 elementos químicos, que se combinan para formar minerales, algunos de los cuales la sociedad luego extrae y procesa para elaborar productos minerales. Cinco de los 92 elementos son tan escasos que para la mayoría de los fines pueden ignorarse. Los otros 87 incluyen nueve elementos abundantes (oxígeno, silicio, aluminio, hierro, calcio, magnesio, sodio, potasio y titanio) que, en conjunto, dan cuenta del 99 % del peso de la corteza terrestre. Los elementos restantes, bastante escasos, incluyen el cobre, plomo, zinc, estaño, oro y una cantidad de otros metales ampliamente utilizados.

Los elementos escasos, que constituyen el foco del análisis de Skinner, se encuentran en dos tipos de ambientes mineralógicos. En el primero, han reemplazado a uno de los elementos más comunes en los minerales de silicato que conforman la mayor parte de la corteza terrestre. Por ejemplo, el mineral común biotita frecuentemente contiene cantidades muy pequeñas de cobre, zinc, níquel y otros metales escasos, cuyos átomos son suficientemente similares (en términos de tamaño y carga eléctrica) a los átomos del magnesio para permitir que los primeros reemplacen a los segundos en la estructura atómica de la biotita. Así, las rocas comunes contienen pequeñas cantidades de todos los elementos.

El segundo grupo de minerales es el resultado de diversos procesos geoquímicos, la mayoría con la participación de un fluido acuoso, que extraen los metales escasos atrapados en la sustitución atómica. A continuación, los metales se concentran, transportan y finalmente precipitan de la solución, formando minerales no silicatos, bastante diferentes, que contienen cobre u otros elementos escasos como sus componentes principales. Así, por ejemplo, el cobre puede extraerse de la biotita, concentrarse y luego precipitarse en forma de chalcopirita o algún otro mineral con contenido de cobre.

Aunque los límites a la sustitución atómica varían según los elementos, las condiciones físicas y químicas, y los minerales, Skinner sostiene que típica-

continuación recuadro 5-2

mente se alcanzan cuando el elemento escaso se eleva a entre 0,1 y 0,01 % del peso del mineral. El límite constituye una barrera mineralógica. Por sobre el límite, se encuentran los minerales metalíferos separados (y escasos). Por debajo del límite, los metales escasos están atrapados en cantidades mínimas dentro de la estructura atómica de minerales de silicato comunes. Las diferencias entre los procesos geoquímicos que crean estos dos grupos de minerales a menudo producen una brecha entre las leyes más bajas de los minerales metalíferos, que miden el porcentaje de cobre u otro metal que contienen, y la ley más alta de los minerales comunes.

En este caso, la relación entre la ley y el tonelaje es bimodal, como se muestra en la Figura 5-2(b), más que unimodal, como sugiere Lasky y se ilustra en la Figura 5-2(a). Desde luego, si la mayor parte del cobre, estaño y otros metales escasos de la corteza terrestre se encontrara depositada en los minerales metalíferos –es decir, la moda de la derecha en la Figura 5-2(b)– en lugar de los minerales comunes, esta distribución bimodal no tendría mayor importancia. Sin embargo, según Skinner (2001), la evidencia geológica disponible sugiere justo lo contrario: sólo 0,001 a 0,01 % de los metales escasos en la corteza terrestre está disponible en los minerales metalíferos; los demás están atrapados en la estructura atómica de los minerales comunes.

Como señala el texto, Skinner también afirma que es probable que los costos de procesamiento experimenten un salto una vez que se cruce la barrera mineralógica por motivos distintos a la disminución de la ley. Los minerales metalíferos, tales como la chalcopirita en el caso del cobre, pueden separarse de los otros minerales recuperados en el proceso de explotación usando técnicas mecánicas relativamente baratas (p.ej., el chancado y la flotación). El resultado es un concentrado que puede contener 30% o más de cobre. Las técnicas, de uso de energía altamente intensivo, requeridas para liberar el cobre atrapado en la estructura atómica de su mineral metalífero sólo deben aplicarse a este concentrado. Distinto es cuando el cobre se extrae de silicatos u otros minerales comunes. En ese caso, las técnicas de separación intensivas en energía deben aplicarse a todo el material extraído, que Skinner estima que hace aumentar sólo los costos de energía en un factor de 10 a 100.

La tesis de Skinner (2001), como él mismo señala, no es aplicable a los minerales energéticos, tales como el petróleo, gas natural y carbón. Tampoco a los metales comunes, tales como el hierro, aluminio, magnesio y titanio. Pero sí a una gran cantidad de productos minerales, incluidos muchos metales importantes de los que la sociedad difícilmente podría prescindir. La exclusión de los metales comunes ha llevado a Skinner y sus coautores (Gordon y otros 1987) a sostener en un libro titulado *A Second Iron Age Ahead?* (*¿Una Segunda Era del Hierro por Delante?)* que, eventualmente, la producción de metales se desplazará hacia el hierro y otros metales comunes y se alejará de los escasos.

Existen estudios empíricos sobre la relación entre la ley y el tonelaje para unos pocos productos minerales (o, más correctamente, por tipo de yacimiento geológico).[8] Sin embargo, como observan Singer y DeYoung (1980) y Skinner (2001), los datos disponibles provienen mayormente de minas en operación o yacimientos que tal vez no sean económicos en la actualidad pero cuyos orígenes son similares a los de las minas en operación. De manera que entregan poca información sobre cómo varía la disponibilidad de recursos según la ley para aquellos yacimientos cuyos orígenes geoquímicos difieren de los de las minas en operación.[9] Esto es un problema, debido a que la mayor parte de la oferta mundial de productos minerales se encuentra en tales yacimientos. Además, según Harris y Skinner (1982), hay diversos sesgos en los datos disponibles que pueden exagerar la relación negativa entre la ley y el tonelaje. Plantean la posibilidad de que, a medida que disminuye la ley, las adiciones incrementales en toneladas tal vez no aumenten en cantidad. De manera que hay mucho todavía por saber antes de estar seguros de que la disponibilidad de los recursos minerales aumentará a una tasa creciente a medida que disminuya la ley.

La naturaleza de los yacimientos minerales también puede afectar la forma de la curva de oferta acumulativa. A medida que ocurre el agotamiento, puede ser necesario poner en producción yacimientos totalmente diferentes, que requieren de un aumento considerable de los insumos de energía y otros insumos para procesarlos (Skinner 1976). Por ejemplo, hoy el cobre encontrado en minerales de sulfuro se concentra por medio de chancado y flotación antes de someterlo a fundición y refinación. Dado que estos últimos procesos son altamente intensivos en energía, esto reduce sustancialmente los costos de producción. También se encuentra cobre en los minerales de silicato, que no se prestan para la concentración. La Figura 5-3 indica que los insumos de energía requeridos para los minerales de silicato de más alta ley, un tipo de roca común, podrían ser de 10 a 100 veces más altos que para los minerales de sulfuro de más baja ley. Esto podría provocar un alza acentuada en los costos de procesamiento y una discontinuidad o salto en la pendiente de la curva de oferta acumulativa, si es que eventualmente fuera necesario extraer el cobre en base a minerales de silicato.

Sin embargo, el salto en los costos y la discontinuidad de la curva de oferta acumulativa ocurre solo si no hay una sobreposición considerable de leyes entre los

8 Singer y otros (1975), por ejemplo, analizan cómo varía el tonelaje de mineral según la ley para tres tipos distintos de yacimientos de cobre –pórfiro, sulfuro macizo y confinado en estratos– que son las fuentes principales de la producción actual de cobre. Para los yacimientos porfíricos y confinados en estratos, no encuentran ninguna tendencia significativa de que el tonelaje aumente a medida que la ley disminuya. Sí existe una relación negativa significativa entre el tonelaje y la ley para los yacimientos de sulfuro macizo y para todos los yacimientos examinados cuando los combinan. Sin embargo, tanto por razones estadísticas como geológicas, advierten contra la extrapolación de estos resultados, y concluyen que existen yacimientos de cobre de muy baja ley pero alto tonelaje. En particular, enfatizan que tales yacimientos probablemente tendrían que ser muy diferentes a cualquiera de los tres tipos importantes actualmente en explotación. Además del trabajo sobre el cobre de Singer y otros, ver Foose y otros 1980 sobre el níquel y Harris 1984 sobre el uranio y el cobre.

9 Una excepción, que entrega cierto apoyo a la tesis de Skinner, es Cox 1979.

minerales de sulfuro y los de silicato. Si la curva en la Figura 5-3 para los minerales de silicato se extendiera suficientemente hacia la derecha y hacia abajo, podría ser posible trasladarse desde los minerales de sulfuro, de muy baja ley, a los minerales de silicato, de más alta ley, sin aumentar los costos de energía u otros en forma significativa. Se sabe que esta situación fortuita ocurre en los casos del bario, litio, níquel y, posiblemente, cobre (gracias al cobre que se encuentra en nódulos del fondo marino). Es por esta razón que, en la actualidad, se está produciendo níquel tanto desde yacimientos de sulfuros como de silicatos (laterita).

Sin embargo, para otros metales, cruzar la barrera mineralógica puede llevar a aumentos acentuados en los costos. Aunque las implicancias para la disponibilidad de largo plazo de los productos minerales son obvias, no han recibido mucha atención. Existen pocos incentivos económicos para analizar tales problemas potenciales hasta que exista, o al menos se prevea, la necesidad de utilizar nuevos tipos de recursos minerales.

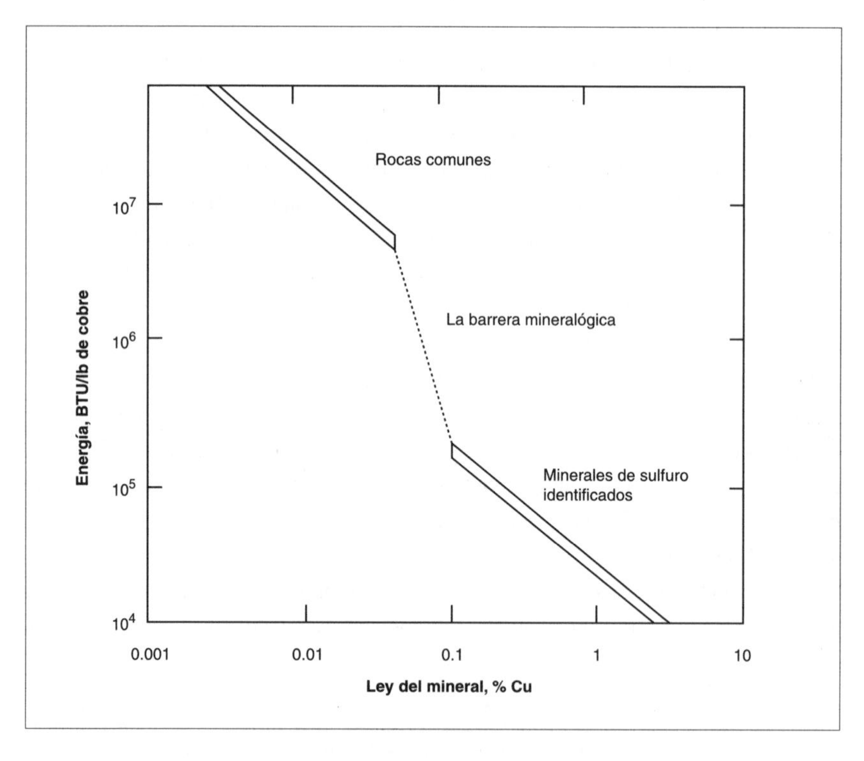

FIGURA 5-3.
ENERGÍA REQUERIDA POR LIBRA DE COBRE PROVENIENTE DE MINERAL DE SULFURO Y ROCA DE SILICATO COMÚN

Fuente: Skinner 1976

DEMANDA DE PRODUCTOS MINERALES PRIMARIOS

El segundo grupo de factores que debemos examinar tiene que ver con la velocidad con que la sociedad asciende por la curva de la oferta acumulativa. En este grupo están los cuatro determinantes básicos de la demanda de productos minerales primarios: población, ingreso per cápita real, intensidad de uso y producción secundaria (ver Recuadro 5-3).

Examinemos cada una de estas cuatro variables, comenzando con la *población*. Durante siglos, incluso milenios, la población mundial era estable y pequeña. Como muestra la Figura 5-4, en el siglo XVIII comenzó a crecer a un ritmo acelerado y explotó de 1,7 a 6,1 mil millones de personas durante el siglo XX.

RECUADRO 5-3.
DETERMINANTES DE LA DEMANDA TOTAL DE PRODUCTOS MINERALES PRIMARIOS

La población, el ingreso per cápita y la intensidad de uso determinan la demanda total –tanto primaria como secundaria– de un producto mineral. En efecto, como muestra la ecuación 1, una identidad relaciona el producto de estas variables con la demanda total. Esto se desprende del hecho de que, por definición, el ingreso per cápita es el ingreso total (Y) dividido por la población (Pob); y la intensidad de uso es la cantidad de un producto mineral demandado o consumido (Q) dividido por el ingreso (Y). Luego:

Demanda total = (población) (ingreso per cápita) (intensidad de uso),

ó

$$Q = Pob \times (Y/Pob) \times (Q/Y)$$

Si se resta la producción secundaria (es decir, la producción en base a chatarra reciclada) de la demanda total, queda la demanda de producción primaria. Esta última, sumada desde el presente hasta cualquier año dado en el futuro, entrega la demanda acumulativa del producto a lo largo del período considerado y, por ende, el nivel hasta donde ascenderá la sociedad por la curva de oferta acumulativa.

Sin embargo, hacia fines del siglo XX la tasa de crecimiento estaba disminuyendo, y se prevé que, para mediados del siglo XXI, habrá una población mundial estable de algo más de 9 mil millones de personas (U.S. Census Bureau 2001b).

La disminución del crecimiento de la población ha sido más pronunciada en los países industrializados. El aumento del ingreso per cápita tiende primero a aumentar las expectativas de vida, estimulando el crecimiento de la población. Sin embargo, eventualmente, a medida que sigue el desarrollo, la tasa de natalidad decrece, haciendo que el incremento de la población disminuya para, finalmente, cesar. En algunos países industrializados, como Francia, la población de hecho se está contrayendo. En otros, sólo la inmigración evita que descienda el número de habitantes. En muchos países en vías de desarrollo, los demógrafos prevén que la población seguirá las tendencias hacia la disminución observadas en los países industrializados. Como resultado de ello, la fuerte presión ascendente sobre la demanda de productos minerales que produjo el crecimiento de la población durante el siglo pasado, sin duda disminuirá y probablemente cese en el siglo que viene.

Aunque los demógrafos pueden predecir con cierta precisión la población para los siguientes 50 a 100 años, las proyecciones más a futuro son extraordinariamente difíciles. Las políticas gubernamentales, la estabilidad política, las pestes, las condiciones económicas, las costumbres y las preferencias humanas influirán sobre las tasas de natalidad y defunción en el futuro, pero es imposible proyectar, con algún grado de precisión, cómo lo harán de un siglo hacia adelante.

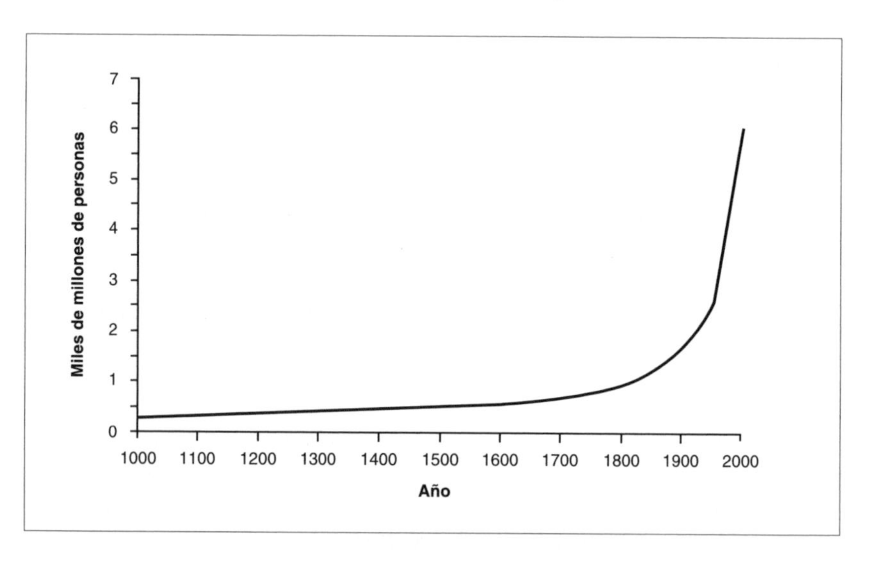

FIGURA 5-4.
POBLACIÓN MUNDIAL, 1000-2000

Fuentes: U.S. Census Bureau 2001a, 2001b

El *ingreso per cápita* en un futuro lejano es aún más difícil de pronosticar. Los economistas siguen intentando comprender cabalmente porqué algunos países se han desarrollado rápidamente durante el último siglo, en tanto que, en otros países, muchos millones de personas han permanecido en o cerca de un nivel de pobreza de subsistencia. Las instituciones sociales y políticas, el capital humano y las economías abiertas y competitivas son ampliamente reconocidas como importantes. Pero sigue desafiando a los expertos por qué estas y otras condiciones favorables surgen en algunos países y en otros no, y en ciertos momentos, pero no en otros.

Si es difícil explicar el pasado, incluso es mucho más problemático predecir cuándo y dónde y en qué medida se producirá el desarrollo económico en el futuro (reflejado por el crecimiento del ingreso per cápita). Simplemente tenemos poca o ninguna idea de lo que será el ingreso per cápita del mundo en cien años más, y mucho menos en el futuro más remoto. Los países en vías de desarrollo están esforzándose por lograr niveles de vida comparables con los de los países industrializados. Estos últimos, a su vez, esperan mantener el crecimiento del ingreso per cápita que experimentaron durante el siglo pasado. Aunque estas aspiraciones puedan o no alcanzarse, ciertamente es posible que el ingreso per cápita en 50 o más años pudiera estar muy por encima de su nivel actual.

La *intensidad de uso* refleja el consumo de un producto mineral, habitualmente medido en unidades físicas tales como barriles de petróleo o toneladas de acero, dividido por el producto interno bruto global (PIB), medido en dólares o alguna otra unidad monetaria adecuadamente descontada a través del tiempo para considerar la inflación.[10] Refleja la demanda de productos minerales por unidad de ingreso –las toneladas de cobre consumidas, por ejemplo, por cada mil millones de dólares del PIB.

Algunos años atrás, el International Iron and Steel Institute (1972) y Malenbaum (1973, 1978) plantearon la hipótesis de que la intensidad de uso de un producto mineral depende del desarrollo económico conforme esté reflejado por el ingreso per cápita. Específicamente, sostuvieron que los países muy pobres, con escaso o ningún desarrollo, dedican la mayor parte de sus esfuerzos a la agricultura de subsistencia y otras actividades que requieren de un uso mínimo de productos minerales. Por lo tanto, su intensidad de uso de minerales es baja. Sin embargo, a medida que van desarrollándose, estos esfuerzos se desplazan a edificar viviendas, construir caminos, escuelas y hospitales, ferrocarriles y plantas de acero, y a consumir primero bicicletas y luego automóviles. Tales actividades elevan la intensidad de uso de minerales. Sin embargo, en algún momento la mayoría de estas necesidades están cubiertas, y el mayor desarrollo lleva a un nuevo desplazamiento de las preferencias, esta vez hacia la educación, la asistencia médica y otros servicios menos intensivos en minerales.

Por estas razones, la hipótesis de la intensidad de uso prevé una relación con forma de U invertida, entre el ingreso per cápita y la intensidad de uso de productos minerales, como muestra la curva C_1 en la Figura 5-5. A lo largo de los años, esta hipótesis ha sido utilizada como una técnica simple para predecir el consumo futuro de productos minerales, pero con un éxito apenas parcial. Por este y otros motivos,

10 Gran parte de la discusión sobre la intensidad de uso que sigue se basa en Radetzki y Tilton 1990 y las fuentes citadas en el mismo.

ha recibido considerables críticas. No obstante, parece bastante razonable la idea básica de que la intensidad de uso de minerales depende del desarrollo económico y de los cambios en las preferencias de consumo.

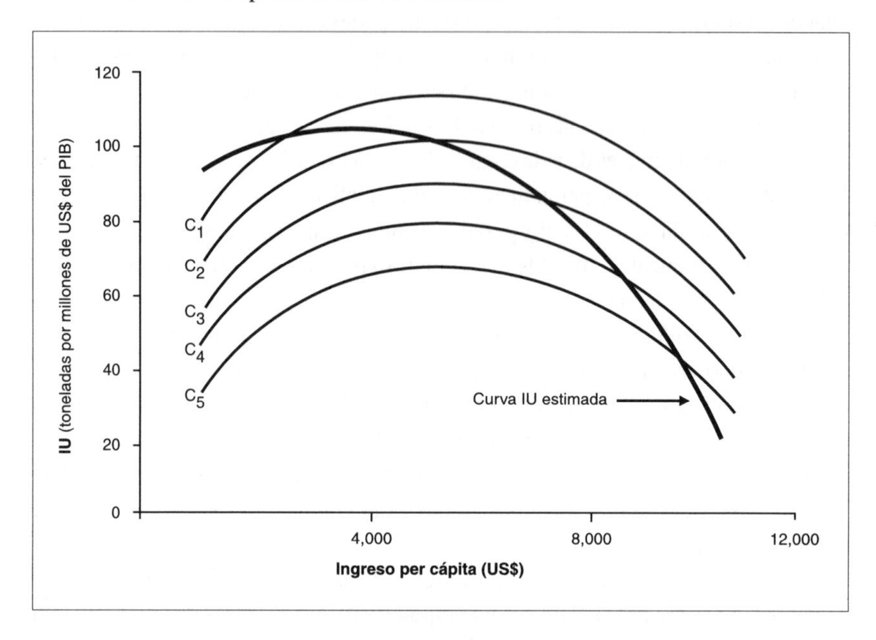

FIGURA 5-5.
CURVAS DE INTENSIDAD DE USO (IU)

Otros factores también influyen en la intensidad de uso. Las políticas gubernamentales, como por ejemplo, el aumento en el financiamiento público para la defensa o la educación; la introducción de nuevos bienes y servicios –computadoras y teléfonos celulares–, cambios en la estructura demográfica –aumento de la población pasiva– y otras consideraciones como la disminución de los precios del petróleo durante los años 80 y 90, que promovió la demanda de vehículos todo terreno y camionetas–, junto con modificaciones en el desarrollo económico, pueden ir produciendo desplazamientos en las preferencias de consumo. Tales variaciones modifican la combinación de bienes y servicios producidos por la economía –lo que se llama *product composition of income* (composición de productos que forman parte del ingreso).

Además, la intensidad de uso puede modificarse a través del tiempo como resultado de cambios en los productos minerales utilizados para producir bienes o servicios específicos –lo que se denomina *material composition of products* (composición de materiales que forman parte de los productos). Estos cambios en gran parte son impulsados por la sustitución de materiales y las nuevas tecnologías tendientes a ahorrar recursos. Por ejemplo, el reemplazo de las latas de aluminio de las bebidas por contenedores de plástico aumenta la intensidad de uso del plástico y reduce la del aluminio. Asimismo, gracias a las nuevas tecnologías, ahora fabricamos las latas de aluminio para las bebidas con láminas mucho más delgadas y, por ende, con menos metal.

Dado que muchos factores afectan la intensidad de uso además del ingreso per cápita y el desarrollo económico, la curva con forma de U invertida que conecta la intensidad de uso con el ingreso per cápita no es estable, sino que se desplaza como respuesta a cambios en estos otros factores. La Figura 5-5 muestra la curva de intensidad de uso desplazándose hacia abajo a través del tiempo de C_1 a C_2 a C_3 y así sucesivamente. Como resultado de ello, las intensidades de uso de minerales, que se observan efectivamente a través del tiempo, a medida que va ocurriendo el desarrollo reflejan diversos puntos en distintas curvas de intensidad de uso. Estos puntos observados dan lugar a una curva híbrida, como la curva negra gruesa mostrada en la Figura 5-5.

La curva de intensidad de uso puede desplazarse hacia arriba además de hacia abajo. Esto ocurrió, por ejemplo, en el caso del aluminio, cuando dicho material desplazó exitosamente la lata de bebidas de hojalata en los años 70 y 80. Sin embargo, la tendencia usual, al menos para los productos minerales tradicionales y ampliamente utilizados, es que la curva se desplace hacia abajo, por dos razones. Primero: la tecnología tendiente a ahorrar recursos reduce pero no aumenta la intensidad de uso. Hoy en día los puentes pueden construirse con mucho menos acero que hace 50 años debido a la existencia de aceros mejorados y mucho más resistentes. Nuevos desarrollos que aumentaran la cantidad de acero requerida no constituirían avances y no serían introducidos. Segundo: los científicos y los ingenieros constantemente están desarrollando nuevos materiales. Durante las últimas décadas, muchos nuevos plásticos, cerámicas y compuestos han ingresado al mercado. Esto significa para los materiales tradicionales que su sustitución, aunque en ocasiones pueda aumentar la intensidad de uso, a fin de cuentas tiende a tener el efecto opuesto, a medida que los nuevos materiales capten parte de sus mercados históricos.

Las mismas tendencias se observan también para los minerales energéticos. La nueva tecnología permite que los automóviles recorran más distancia por un galón de gasolina, y el uso de energía solar pasiva y activa reduce la cantidad de gas natural y petróleo requerida para calentar las casas y suministrar agua caliente.

Por estas razones, es probable que la intensidad de uso de minerales disminuya en el futuro a medida que el creciente ingreso per cápita modifique las preferencias de consumo y las nuevas tecnologías afecten el uso de los productos minerales.[11] Esta conclusión se ve reforzada por los estudios empíricos disponibles

11 Para una revisión más reciente y completa de la literatura sobre la intensidad de uso de materiales, que es más escéptica respecto a la tendencia descendente de la intensidad de uso en el largo plazo, ver Cleveland y Ruth 1999.

(Tilton 1990; U.S. Energy Information Administration 2000), que muestran que la intensidad de uso de metales y recursos energéticos importantes tiende a caer en el largo plazo.[12] Aunque esta tendencia probablemente continúe, no es posible pronosticar la magnitud de la caída en un futuro más lejano, dado el sinnúmero de factores que conforman las tendencias de la intensidad de uso. Además, algunos determinantes son simplemente imposibles de prever, como las nuevas tecnologías que modificarán el uso futuro de minerales.[13]

El *reciclaje* y la *producción secundaria* constituyen el último de los cuatro determinantes básicos de la demanda de productos minerales primarios. Desde luego, normalmente consideraríamos la producción secundaria como una fuente de la oferta y no como un determinante de la demanda. Sin embargo, las curvas de oferta acumulativa mostradas en la Figura 5-1 reflejan sólo la elaboración de productos minerales primarios, no la producción primaria y secundaria. Aunque la producción secundaria afecta la cantidad de producción primaria, lo hace influyendo en la demanda de los productos minerales primarios, más que en la oferta.

La producción secundaria, aunque generalmente tiene poca significación en términos de los minerales energéticos, es importante para muchos metales. Por ejemplo, en los EE.UU. el reciclaje de chatarra vieja actualmente da cuenta del 12, 20 y 61 % del consumo interno de cobre, aluminio y plomo, respectivamente. (U.S. Geological Survey 2001)

¿Qué podemos decir, entonces, sobre el futuro del reciclaje? Primero, la producción secundaria en definitiva está limitada por la cantidad de chatarra disponible para el reciclaje. Dado que cierto tipo de chatarra –el plomo en las pinturas a base de plomo, por ejemplo– es prohibitivamente costoso de reciclar, esto significa que, casi indudablemente, la producción secundaria por sí sola será incapaz de satisfacer la demanda total futura de productos minerales. Esto requeriría de una disminución suficiente en la demanda como para asegurar que la producción secundaria pudiera proveer toda la producción requerida a costos por debajo de hasta el más barato de los productores primarios.

Segundo, y relacionado con este primer punto, a mayor rapidez de crecimiento de la demanda de un producto mineral, lo más probable es que sea menor la proporción del consumo total que representa la producción secundaria. (Radetzki y Van Duyne 1985) Esto se desprende del hecho de que la cantidad de chatarra vieja

12 Es interesante saber que la intensidad de uso del cobre y algunos otros metales –tanto para los EE.UU. como para el mundo entero– aumentó durante los años 90, contraponiéndose a tendencias anteriores (Crowson 1996). Parte de la explicación de este suceso sorprendente reside en el reciente crecimiento de la demanda de equipos comunicacionales y electrónicos. Sin embargo, no queda claro hasta cuándo continuará esta tendencia ascendente.

13 Labson y Crompton (1993) van incluso más allá, concluyendo que las tendencias pasadas para la intensidad de uso de metales son de escasa utilidad para hacer inferencias hacia el futuro, porque generalmente no es posible concluir que los datos de series de tiempo sobre la intensidad de uso sean estacionarios. Sin embargo, Labson (1995) modifica esta conclusión luego de tomar en cuenta el quiebre estructural en la intensidad de uso que Tilton (1989, 1990) y otros sostienen que ocurrió a comienzos de los años 70.

disponible para el reciclaje, en cualquier momento dado, dependa de la cantidad de metal consumido en el pasado, con frecuencia una década o más antes. De manera que, cuando la demanda está creciendo rápidamente, sólo una pequeña parte de las necesidades actuales puede ser cubierta por la producción secundaria, incluso suponiendo que se recicle toda la chatarra vieja disponible.

Tercero, la producción secundaria de metales es un sustituto cercano de la producción primaria y, por ende, su futuro está estrechamente vinculado a las tendencias de los mercados de metales primarios. Aunque algunos estudiosos (Ayres 1997) sostienen que el papel de la producción secundaria debiera crecer en el futuro, esta conclusión se basa en el supuesto de que los recursos primarios experimentarán una disminución en su disponibilidad. Si el agotamiento u otros factores hacen subir los precios de los metales, esto aumentará la demanda y la producción de cobre secundario. Alternativamente, si la nueva tecnología compensa con creces los efectos negativos del agotamiento, haciendo bajar los costos de la producción primaria, la producción secundaria de metales disminuirá en relación con la producción primaria, a menos que pueda reducir sus costos a un ritmo aún mayor. (Tilton 1999) [14]

En síntesis, mientras más sombrías sean las perspectivas para la producción primaria, mayor será, probablemente, el papel del reciclaje y viceversa. Este hallazgo –aunque reconfortante en el sentido que sugiere que el impacto favorable del reciclaje aumenta con las necesidades de la sociedad– no ayuda mucho a los fines que nos conciernen. Indica que la cantidad de reciclaje en el futuro dependerá de la disponibilidad de productos minerales primarios, que es exactamente lo que estamos tratando de determinar al evaluar las tendencias a largo plazo del reciclaje y de la demanda de productos minerales primarios.

Esta breve revisión de los cuatro determinantes básicos de la demanda de productos minerales primarios sugiere que, durante el próximo siglo, el crecimiento de la población llegará a su cima y luego comenzará a disminuir; el ingreso per cápita real (salvo que ocurra alguna catástrofe importante) continuará escalando hacia arriba; la intensidad de uso probablemente persistirá en su disminución a largo plazo; y, el reciclaje dará cuenta de una parte –tal vez creciente o tal vez decreciente– del consumo mundial de los metales más importantes.

Aunque esto revista cierto interés, lamentablemente no tenemos una imagen clara del efecto neto de estas influencias contrapuestas durante el siglo que viene y, por ende, de la rapidez con que el mundo irá ascendiendo por la curva de la oferta acumulativa. Además, el pronóstico se torna aún más oscuro a medida que nos proyectamos hacia el futuro.

---

14 Desde luego, las políticas públicas que requieren o subvencionan el reciclaje podrían asegurarle un futuro brillante a la producción secundaria, aunque la producción primaria sea más barata. En el Capítulo 7 se examina el papel de las políticas públicas para promover el reciclaje.

TECNOLOGÍA Y COSTOS DE INSUMOS

Finalmente, nos referiremos a las fuerzas –los cambios en la tecnología y los costos de los insumos– que hacen que la curva de oferta acumulativa se desplace. Ya hemos visto que, por el lado de la demanda, la nueva tecnología, que afecta el uso de los productos minerales, influye sobre la velocidad con que la sociedad asciende por la curva de oferta acumulativa. Ahora nos centraremos en la tecnología que influye sobre los costos de producción y, a su vez, sobre la oferta de los productos minerales.

Esta nueva tecnología desplaza hacia abajo la curva de oferta acumulativa. Si no fuera así, aumentaría en lugar de reducir los costos de producción y, por lo tanto, no sería adoptada. Sin embargo, los cambios en los costos de los insumos pueden desplazar la curva hacia arriba o hacia abajo.

La mano de obra, el capital, la energía y los materiales son los insumos cruciales para la mayoría de los productos minerales. Durante el siglo pasado el costo real de la mano de obra, al menos en los EE.UU. y otros países industrializados, ha subido considerablemente, dando cuenta, en gran parte, de los dramáticos mejoramientos que estos países han experimentado en su nivel de vida. Esto ha ejercido una presión ascendente sobre la curva de oferta acumulativa. Los precios para los otros tres insumos han variado, a veces subiendo y a veces bajando.

Aunque estos cambios son importantes, la nueva tecnología ha aminorado su impacto sobre la curva de oferta acumulativa. Barnett y Morse (1963), Simon (1981) y muchos de los otros escritores cuyos trabajos fueron revisados en capítulos anteriores, enfatizan el papel importante que ha desempeñado la nueva tecnología para reducir los costos y aumentar la disponibilidad. Además, la literatura está llena de ejemplos de importantes nuevas tecnologías que afectan la producción minera y energética en general, además de productos minerales específicos en particular.[15] La perforación horizontal para obtener petróleo y gas, la extracción por solventes y electroobtención del cobre, la lixiviación con ácido de alta presión del níquel, la minería de frente corrido para el carbón, los hornos eléctricos y minimolinos para el acero, camiones y palas más grandes, perforadoras más grandes y más rápidas, imágenes satelitales para la exploración y operaciones controladas por computadoras, son apenas algunas de las nuevas técnicas más conocidas que están facilitando y abaratando la producción de los productos minerales.

Sin embargo, es mucho más fácil evaluar el impacto de la nueva tecnología en el pasado que predecir sus efectos futuros. De hecho, es extraordinariamente difícil proyectar la nueva tecnología, incluso en el corto plazo. Es sencilla-

15 Para una muestra de tales estudios, ver Bohi 1999 para el petróleo, Darmstadter 1999 para el carbón, Manners 1971 para el mineral de hierro, Barnett y Crandall 1986 para el acero, Tilton y Landsberg 1999 para el cobre, y el National Research Council 1990 y 2002 para la industria minera en general.

mente imposible trasladarse 50 o más años hacia adelante. Sabemos que el desarrollo y la introducción de nuevas tecnologías continuará, pero no tenemos manera alguna de medir confiablemente su probable impacto en los costos de producción en el futuro remoto.

PERSPECTIVAS PARA LA DISPONIBILIDAD DE RECURSOS

Como hemos visto, las tendencias futuras de la disponibilidad de recursos dependerán mayormente del resultado de los efectos del agotamiento, que tiende a aumentar los costos, y los efectos de la nueva tecnología, que tiende a reducirlos. Por el lado positivo, es improbable que la disponibilidad de productos minerales constituya un problema en el corto plazo, durante los próximos cincuenta años.

En el largo plazo, si el agotamiento de minerales llegara a provocar déficits, estos probablemente emergerían gradualmente, tal vez a lo largo de décadas, a medida que los precios y costos reales de los productos minerales subieran lenta pero persistentemente. En este sentido, los déficits debidos a agotamiento son bastante distintos a los déficits abruptos pero temporales producidos por guerras, carteles, huelgas, desastres naturales, inversiones insuficientes y ciclos económicos. También sabemos que los déficits provocados por el agotamiento, si es que llegaran a ocurrir, restringirían el uso de los productos minerales al aumentar sus precios reales, lo que a su vez, aumentaría la producción secundaria. Por consiguiente, no es probable que el mundo se quede literalmente sin productos minerales.

Además, incluso en el largo plazo, el agotamiento no es inevitable –al menos no en una escala temporal que sea relevante para la humanidad. Aunque no se puede confiar en que las tendencias pasadas continúen indefinidamente, el futuro bien podría ser como el pasado y gozar de una disponibilidad creciente de productos minerales, en lugar de decreciente.

Nuestros esfuerzos por evaluar las perspectivas a largo plazo sobre la base de los factores fundamentales que influyen en la oferta y demanda de los productos minerales resultaron poco exitosos. Aunque entregaron algunas ideas interesantes, se toparon con demasiadas incógnitas como para permitir hacer proyecciones útiles más allá de las próximas décadas.

De modo que la pregunta central permanece sin respuesta. Sencillamente no sabemos si las tendencias futuras de la disponibilidad de recursos acogerá o frustrará los deseos de mejorar el nivel de vida de las personas alrededor del mundo.. Aquellos que proclaman tener respuesta a esta pregunta –y, como hemos visto, existen bastantes por ambos lados de la discusión– explícita o implícitamente fundamentan sus aseveraciones en supuestos debatibles y, en particular, en supuestos sobre el curso futuro de la tecnología.

Si el futuro remoto es desconocido, en gran parte como resultado de la imposibilidad de predecir la nueva tecnología, ¿significa esto que es intrínsecamente desconocible? Esta interrogante nos lleva de vuelta a la curva de oferta acumulativa y plantea dos preguntas. ¿Es posible evaluar la forma de esta curva para productos minerales específicos? Y, de poderse hacer, ¿vale la pena?

La respuesta a la primera pregunta probablemente sea sí. Como se señaló anteriormente, la información necesaria comprende datos geológicos sobre la cantidad, naturaleza y tamaño de los yacimientos minerales que existen en la corteza terrestre. Existe abundante información para los yacimientos económicos (es decir, los que son rentables de explotar actualmente), que entrega ciertos datos respecto a la forma del extremo inferior de la curva de oferta acumulativa. Lógicamente, hay mucho menos información disponible respecto de los yacimientos subeconómicos, porque las compañías de exploración y otros organismos privados tienen pocos incentivos económicos para reunir conocimientos sobre ellos. Sin embargo, supuestamente podría obtenerse esta información si la sociedad estuviera suficientemente preocupada respecto de la escasez futura de recursos como para pagar lo necesario para obtenerla y así proporcionar los incentivos requeridos. Esto daría una visión más clara de la oferta acumulativa a través de una gama mucho más amplia de leyes minerales y de precios.

Naturalmente, dado el valor temporal del dinero (ver Recuadro 2-1), obtener información sobre yacimientos que no son económicos en la actualidad, ni están próximos a serlo, conlleva costos. Por consiguiente, las políticas públicas que subvencionan la adquisición de esta información sólo son deseables si los beneficios que se espera obtener de un mayor conocimiento sobre la forma de esta curva de oferta acumulativa, superan dichos costos.

La respuesta a la segunda pregunta definitivamente es sí. Los productos minerales cuyas curvas de oferta acumulativa ascienden gradualmente sin discontinuidades ni alzas abruptas –y por ende, similares a la curva mostrada en la Figura 5-1(a)– son menos propensos a experimentar una escasez significativa, aun cuando su demanda se expanda rápidamente y el cambio tecnológico resulte ineficaz para reducir sus costos. En contraste, los productos minerales cuyas curvas de oferta acumulativa contienen discontinuidades o segmentos de alzas acentuadas son mucho más propensos a la escasez.

En resumen, aunque la disponibilidad de los productos minerales después de los siguientes 50 años es desconocida, tal vez no sea desconocible. Aunque las dificultades para predecir el cambio tecnológico y sus efectos hacia el futuro remoto hacen imposible determinar con qué rapidez la sociedad ascenderá por la curva de la oferta acumulativa o en qué medida la curva se desplazará hacia abajo, mucho puede aprenderse respecto a la forma de la curva. Si la sociedad está preocupada de la escasez de minerales, invertir en la información geológica, que ayudaría a determinar la forma de la curva de oferta acumulativa, entregaría muchos conocimientos útiles acerca de la amenaza que representa el agotamiento en el largo plazo.

REFERENCIAS

Adelman, M. A. (1973). **The World Petroleum Market.** Baltimore, Johns Hopkins for Resources for the Future.

Adelman, M. A. (1990). "Mineral depletion, with special reference to petroleum". **Review of Economics and Statistics** 72(1): 1-10.

Ayres, R. U. (1997). **Metals recycling: economic and environmental implications**. Third ASM International Conference, Barcelone, Spain, ASM International.

Barnett, D. F. and R. W. Crandall (1986). **Up From the Ashes: The Rise of the Steel Minimill in the United States**. Washington, DC, Brookings Institution.

Barnett, H. J. and C. Morse (1963). **Scarcity and Growth**. Baltimore, Johns Hopkins for Resources for the Future.

Beckerman, W. (1995). **Small Is Stupid.** London, Duckworth.

Bohi, D. R. (1999). Technological improvement in petroleum exploration and development. **Productivity in Natural Resource Industries.** R. D. Simpson. Washington, DC, Resources for the Future: 73-108.

Campbell, C. J. (1997). **The Coming Oil Crisis.** Brentwood, Essex, England, Multi-Science Publishing Company.

Cleveland, C. J. and M. Ruth (1999). "Indicators of dematerialization and the materials intensity of use". **Journal of Industrial Ecology** 2(3): 15-50.

Cox, D. P. (1979). The distribution of copper in common rocks and ore deposits. **Copper in the Environment,** Part 2. J.O. Nriagu. New York, Wiley and Sons: 19-42.

Crowson, P. C. F. (1996). Metals demand and economic activity: some recent conundra. 1996 Proceedings of the Mineral Economics and Management Society Fifth Annual Professional Meeting. Henry N. McCarl. Montreal, Quebec: 28-42.

Darmstadter, J. (1999). Innovation and productivity in U.S. coal mining. **Productivity in Natural Resource Industries**. R. D. Simpson. Washington, DC, Resources for the Future: 35-72.

Deffeyes, K. S. (2001). **Hubbert's Peak: The Impending World Oil Shortage**. Princeton, NJ, Princeton University Press.

DeYoung Jr., J. H. (1981). "The Lasky cumulative tonnage-grade relationship-A reexamination". **Economic Geology** 76: 1067-1080.

Foose, M. P. and others (1980). **The Distribution and Relationships of Grade and Tonnage Among Some Nickel Deposits**, U.S. Geological Survey Professional Paper 1160. Washington, DC, U.S. Geological Survey.

Gordon, R. B., and others (1987). **Toward a New Iron Age? Quantitative Modeling of Resource Exhaustion.** Cambridge, MA, Harvard University Press.

Harris, D. P. (1984). **Mineral Endowment, Resources, and Potential Supply: Theory, Methods for Appraisal, and Case Studies**. Oxford, Oxford University Press.

Harris, D. P. and B. J. Skinner (1982). The assessment of long-term supplies of minerals. **Explorations in Natural Resource Economics**. V. K. Smith and J. V. Krutilla. Baltimore, Johns Hopkins for Resources for the Future: 247-326.

Hubbert, M. K. (1962). **Energy Resources, A Report to the Committee on Natural Resources,** National Academy of Science Publication 1000D. Washington, DC, National Academy Press.

Hubbert, M. K. (1969). Energy resources. **Resources and Man.** P. Cloud. San Francisco, W.H. Freeman: 157-239.

International Iron and Steel Institute (1972). **Projection 85: World Steel Demand.** Brussels, International Iron and Steel Institute.

Kesler, S. E. (1994). **Mineral Resources, Economics and the Environment.** New York, Macmillan.

Labson, B. S. (1995). "Stochastic trends and structural breaks in the intensity of metals use". **Journal of Environmental Economics and Management** 29: S34-S42.

Labson, B. S. and P. L. Crompton (1993). "Common trends in economic activity and metals demand: cointegration and the intensity of use debate". **Journal of Environmental Economics and Management** 25: 147-161.

Lasky, S. G. (1950a). "Mineral-resource appraisal by the U.S. Geological Survey". **Colorado School of Mines Quarterly** 45(1A): 1-27.

Lasky, S. G. (1950b). "How tonnage and grade relations help predict ore reserves". **Engineering and Mining Journal** 151(4): 81-85.

Lomborg, B. (2001). **The Skeptical Environmentalist.** Cambridge, Cambridge University Press.

Malenbaum, W. (1973). **Material Requirements in the United States and Abroad in the Year 2000, Research project prepared for the National Commission on Materials Policy.** Philadelphia, University of Pennsylvania.

Malenbaum, W. (1978). **World Demand for Raw Materials in 1985 and 2000**. New York, McGraw-Hill.

Manners, G. (1971). **The Changing World Market for Iron Ore, 1950-1980.** Baltimore, Johns Hopkins for Resources for the Future.

McKelvey, V. E. (1972). "Mineral resource estimates and public policy". **American Scientist** 60(1):32-40. This article is reprinted in V.E. McKelvey (1973). Mineral resource estimates and public policy. **United States Mineral Resources**, Geological Survey Professional Paper 820. D.A. Brobst and W.P. Pratt. Washington, DC, Government Printing Office: 9-19.

Meadows, D. H. and others (1972). **The Limits to Growth**. New York, Universe Books.

Meadows, D. H. and others (1992). **Beyond the Limits**. Post Mills, VT, Chelsea Green Publishing.

National Research Council (2002). **Evolutionary and Revolutionary Technologies for Mining**. Washington, DC, National Academy Press.

National Research Council (1990). **Competitiveness of the U.S. Minerals and Metals Industry**. Washington, DC, National Academy Press.

Park Jr., C. F. (1968). **Affluence in Jeopardy: Minerals and the Political Economy**. San Francisco, Freeman, Cooper and Company.

Radetzki, M. and C. Van Duyne (1985). "The demand for scrap and primary metal ores after a decline in secular growth". **Canadian Journal of Economics** 18(2): 435-449.

Radetzki, M. and J. E. Tilton (1990). Conceptual and Methodological Issues. **World Metal Demand: Trends and Prospects**. J.E. Tilton. Washington, DC, Resources for the Future.

Simon, J. L. (1980). "Resources, population, environment: An oversupply of false bad news". **Science** 208: 1431-1437.

Simon, J. L. (1981). **The Ultimate Resource.** Princeton, NJ, Princeton University Press.

Singer, D. A. (1977). "Long-term adequacy of metal resources". **Resources Policy** 3(2): 127-133.

Singer, D. A. and J. H. DeYoung Jr. (1980). "What can grade-tonnage relations really tell us?". **Resources Minerales,** Memoire du BRGM no. 106.

Singer, D. A. and others (1975). Grade and tonnage relationship among copper deposits. **Geology and Resources of Copper Deposits,** Geological Survey Professional Paper 907-A. Washington, DC, Government Printing Office for the U.S. Geological Survey.

Skinner, B. J. (1976). "A second iron age ahead?". **American Scientist** 64: 158-169.

Skinner, B. J. (1979). Earth resources. **Proceedings of the National Academy of Sciences** 76(9): 4212-4217.

Skinner, B. J. (2001). **Exploring the Resource Base.** Unpublished notes for a presentation to the Conference on Depletion and the Long-Run Availability of Mineral Commodities held in Washington, DC, April 22. New Haven, Department of Geology and Geophysics, Yale University.

Tilton, J. E. (1989). "The new view of minerals and economic growth". **Economic Record** 65(190): 265-278

Tilton, J. E., ed. (1990). **World Metal Demand: Trends and Prospects.** Washington, DC, Resources for the Future.

Tilton, J. E. (1991). "The changing view of resource availability". **Economic Geology** (Monograph 8): 133-138.

Tilton, J. E. (1996). "Exhaustible resources and sustainable development: two different paradigms". **Resources Policy** 22(1 and 2): 91-97.

Tilton, J. E. (1999). "The future of recycling". **Resources Policy** 25: 197-204.

Tilton, J. E. and H. H. Landsberg (1999). Innovation, productivity growth, and the survival of the U.S. copper industry. **Productivity in Natural Resource Industries**. R. D. Simpson. Washington, DC, Resources for the Future: 109-139.

Tilton, J. E. and B. J. Skinner (1987). The meaning of resources. **Resources and World Development.** D. J. McLaren and B. J. Skinner, John Wiley & Sons: 13-27.

U.S. Census Bureau (2001a). Historical Estimates of World Population. http://www.census.gov/ipc/www/worldhis.html.

U.S. Census Bureau (2001b). World Population Information. http://www.census.gov/ipc/www/world.html.

U.S. Energy Information Administration (2000). **Annual Energy Outlook 2001 With Projections to 2020.** Washington, DC, Government Printing Office.

U.S. Geological Survey (2001). **Mineral Commodity Summaries 2001.** Washington, DC, Government Printing Office.

Youngquist, W. (1997). **GeoDestinies**. Portland, OR, National Book.

CAPÍTULO 6

EL MEDIO AMBIENTE Y LOS COSTOS SOCIALES

Como se señaló en el Capítulo 2, en los años 90 se produjo un cambio en el debate sobre la disponibilidad a largo plazo de los productos minerales. Los temores que los costos medioambientales y otros de tipo social incurridos en la extracción, procesamiento y uso de los productos minerales pudieran restringir seriamente su disponibilidad futura, reemplazaron las preocupaciones más tradicionales en torno al agotamiento de los minerales. A pesar de que la nueva tecnología permite la explotación de yacimientos más pobres sin ningún aumento significativo en los precios informados, se sostiene que el daño medioambiental incurrido por la sociedad, junto con los demás costos sociales que el productor y el consumidor no pagan, tal vez impida, en el corto plazo, el uso generalizado de los productos minerales.

Los costos sociales comprenden todos los costos asociados con una actividad particular. Incluyen aquellos que paga la empresa productora y, a su vez, el consumidor, tales como los costos de mano de obra, capital y materiales. Estos se llaman costos *internalizados* (o *privados*), porque los paga la empresa o la parte que utiliza estos recursos.

Los costos sociales también incluyen los costos externos, o lo que a menudo se llaman simplemente *externalidades*. Estos costos son soportados por los demás miembros de la sociedad y no por la empresa y los consumidores que los causan. Por ejemplo, los dueños de automóviles, cuando conducen, generan costos externos bajo la forma de contaminación, ruido y congestión. Cuando la combustión de combustibles fósiles en las estaciones de servicio arroja al aire material particulado y otros contaminantes, a menos que se cobre o multe a la empresa, ésta y en definitiva los consumidores no pagan todos los costos de la generación de energía. Algunos son soportados por las personas que viven en el camino del viento que acarrea la contaminación generada por la correspondiente planta de energía.

Las externalidades crean problemas. La sociedad, de hecho, subsidia bienes con costos externos, porque el precio de mercado no refleja los costos totales de producción. Esto deriva en una producción mayor que la óptima, en el sentido de que los costos para la sociedad de las últimas unidades de producción superan sus beneficios. Además, los productores carecen de incentivos para conservar recursos medioambientales u otros, además de no pagar por ellos, de manera que estos recursos valiosos son sobreutilizados (ver Figura 6-1 y Recuadro 6-1).

Asimismo, para nuestros fines, los costos externos pueden significar que los costos y precios reales informados, tales como los examinados en el Capítulo 4, se conviertan en indicadores poco confiables de la disponibilidad de los recursos minerales, por dos razones. Primero, porque la exclusión de los costos externos significa que los costos sociales totales de los productos minerales (y, a su vez, la canasta de bienes y servicios que la sociedad debe sacrificar para obtener una unidad adicional de cualquier producto mineral) son más altos, y quizás mucho más de lo que indican los datos disponibles sobre los costos y precios reales.

Segundo, cuando los costos externos asociados con la producción de minerales cambian a lo largo del tiempo a una tasa distinta a la de los costos internos, se introducen sesgos en las tendencias indicadas para la disponibilidad. Por ejemplo, cuando los costos incurridos por las compañías mineras y los precios que cobran son estables, pero sus costos externos están subiendo, los costos y precios informados muestran tendencias de disponibilidad demasiado favorables.[1] Y, mirando hacia el futuro, si se prevé que los costos medioambientales y otros de tipo social van a subir rápidamente, esto podría cambiar la curva de oferta acumulativa esperada desde una curva, con una pendiente gradualmente ascendente (al considerar solo los costos internalizados), a una curva con una pendiente mucho más acentuada (ver Figura 5-1), con todas las implicancias desfavorables que esto implica para la disponibilidad futura de productos minerales.

1 El grado hasta dónde una tal situación ha prevalecido efectivamente en el pasado, sesgando las tendencias de los costos y precios discutidos en el Capítulo 4, no está claro. El crecimiento de la población, el aumento del ingreso per cápita y la creciente explotación de los recursos naturales han incrementado la demanda de proteger el medio ambiente en muchas partes del mundo. Este cambio en las preferencias ha aumentado los costos externos asociados con la producción y uso de los productos minerales. Sin embargo, el impacto de esta situación ha sido parcial o totalmente compensado por el uso creciente de reglamentos medioambientales y otras políticas públicas que obligan a los fabricantes de productos minerales a internalizar muchos costos, otrora externos.

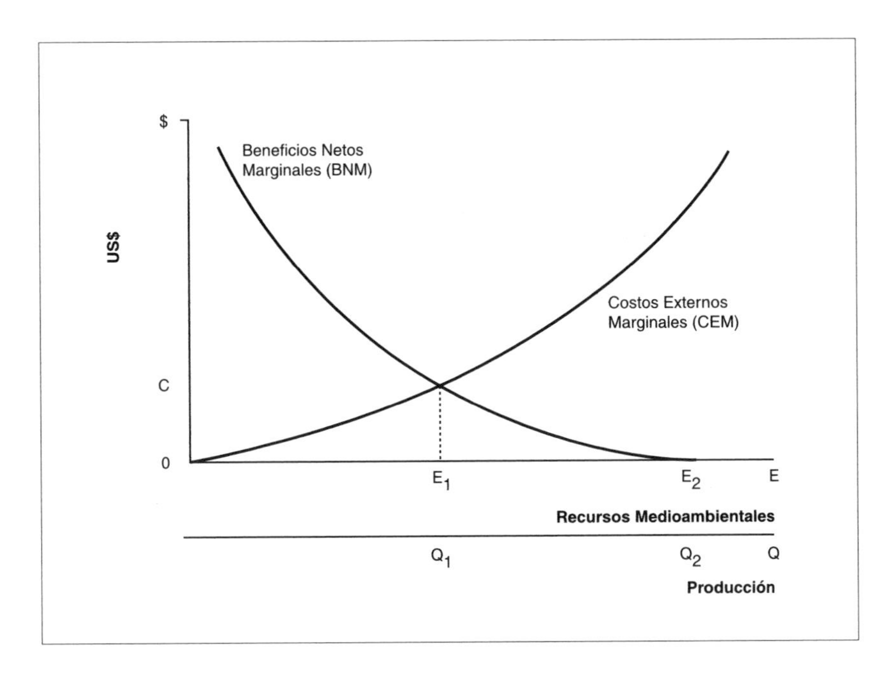

FIGURA 6-1.
USO ÓPTIMO DE LOS RECURSOS MEDIOAMBIENTALES

a La curva BNM indica cómo varía el beneficio neto marginal para la sociedad por el hecho de utilizar una unidad adicional de un recurso medioambiental (la deforestación de una hectárea más) a medida que aumenta el uso del recurso medioambiental. Este beneficio refleja las utilidades adicionales que gana la compañía minera por concepto del mineral de hierro adicional explotado.

b La curva CEM indica cómo varían los costos externos marginales –los costos medioambientales y otros de tipo social que la compañía minera no paga– por el hecho de utilizar una unidad adicional de un recurso medioambiental (la deforestación de una hectárea más) a medida que aumenta el uso del recurso medioambiental.

El remedio que recomienda la mayoría de los analistas de políticas para los problemas creados por los costos medioambientales y otros costos externos es que el gobierno limite la producción o el daño medioambiental a sus niveles óptimos. Dado que la producción es deseable, pero el daño medioambiental no lo es, restringir el daño medioambiental en lugar de la producción tiene la ventaja de alentar a las compañías mineras a aumentar su producción (lo bueno) hasta donde puedan, pero, a la vez, limitar el daño medioambiental (lo malo) al nivel socialmente óptimo.

Por ejemplo, los gobiernos podrían imponer reglamentos a las compañías mineras, exigiendo que sus operaciones cumplan con ciertas normas contra la contaminación del agua o del aire. Una alternativa es que los gobiernos impongan un impuesto a las compañías, frecuentemente llamado *impuesto pigoviano,* en atención al economista británico Arthur Pigou, quien fue el primero en recomendar esta solución al problema de las externalidades. Por ejemplo, colocando la medida precisa de impuestos sobre el daño medioambiental alienta a los productores a restringir la producción y reducir el daño medioambiental al nivel deseado. Nuevamente, es preferible un impuesto sobre el daño medioambiental, porque es éste y no la producción lo que se pretende desalentar.

RECUADRO 6-1.
MINERÍA DE MINERAL DE HIERRO EN EL AMAZONAS

La Figura 6-1 ilustra las distorsiones que introducen las externalidades y muestra el uso óptimo de los recursos medioambientales desde la perspectiva de la sociedad. El eje horizontal refleja el consumo de recursos medioambientales o, alternativamente, la cantidad de daño medioambiental junto con otros costos sociales incurridos a causa del consumo del recurso (*E*). En la práctica, estos costos pueden medirse por algún indicador sustitutivo. Por ejemplo, Mendonça (1998) y Mendonça y Tilton (2000) usan el número de hectáreas deforestadas como un sustituto aproximado del daño medioambiental derivado de la minería del mineral de hierro en la región amazónica. Si suponemos que el uso de los recursos medioambientales (la deforestación) aumenta en proporción directa con la producción (la producción de mineral de hierro), el eje horizontal también refleja la producción (*Q*) del bien que está causando daño al medio ambiente. Cuando esto ocurre, puede dibujarse una segunda línea debajo del eje horizontal (*E*) para indicar la producción (*Q*). El eje vertical mide los beneficios y costos asociados con el uso del recurso medioambiental medido en dólares u otra moneda.
La curva del beneficio neto marginal (BNM) muestra el beneficio neto adicional o marginal derivado del uso de una unidad más del recurso medioambiental (la deforestación de una hectárea más). Esto, a su vez, depende de los beneficios adicionales que la sociedad realice (a raíz del mineral de hierro adicional que puede explotarse) conforme se refleje en las utilidades adicionales que la compañía minera obtiene como resultado de ello. Dado que las utilidades por unidad de producción tienden a caer a medida que aumenta la producción, la curva tiene una pendiente descendente. La curva del costo externo marginal (CEM) muestra los costos externos adicionales o marginales –los costos medioambientales y otros de tipo social– que la sociedad, pero no las compañías mineras, debe soportar como resultado de usar una unidad más del recurso medioambiental (nuevamente, por ejemplo, a raíz de la deforestación de una hectárea más). Dado que el valor unitario del recurso medioambiental restante probablemente aumente a medida que disminuya su oferta, la pendiente de esta curva será ascendente.
Para la sociedad, los beneficios netos acumulados derivados de la minería en el Amazonas se maximizan cuando los costos adicionales de usar una hectárea más de suelo para producir mineral de hierro son justamente equivalentes a los beneficios adicionales. Esto ocurre en el punto donde las dos curvas se cruzan,

continuación recuadro 6-1

con la producción minera en Q_1 y la deforestación del suelo en E_1. En esta situación, cierto uso del medio ambiente –es decir, cierto daño medioambiental– es deseable. Desde luego, esto no siempre debe ser así. En algunos casos, la curva CEM puede situarse sobre la curva BNM para todos los niveles de producción y de uso de los recursos medioambientales. Esto significa que los costos sociales de la producción superan los beneficios sociales para todos los niveles de producción y, así, en resumidas cuentas, cualquier producción tendería a restar en lugar de sumar bienestar a la sociedad.

Sin embargo, en cualquiera de los casos, la compañía minera tiene un incentivo para seguir produciendo hasta que la curva BNM llegue a cero, porque no paga los costos medioambientales que refleja la curva CEM. Sin algún tipo de intervención gubernamental, seguirá produciendo y creando daño medioambiental hasta que la producción llegue a Q_2 y el uso del recurso medioambiental a E_2. El resultado es demasiada producción como excesiva contaminación.

Como señala el texto, la política pública puede corregir esta situación ya sea a través de la regulación de la industria minera y de la exigencia de que produzca a Q_1 usando E_1 de recursos medioambientales, o de imponer un impuesto de $0C$ dólares a cada unidad de recursos medioambientales utilizados o cantidad de mineral de hierro producido. Si se coloca el impuesto sobre el uso de los recursos medioambientales en lugar de la producción, las empresas se verán incentivadas a encontrar nuevas tecnologías y otras maneras de reducir los recursos medioambientales requeridos por unidad de producción. Esto extiende el eje horizontal que muestra la producción de los productos minerales y también desplaza la curva BNM hacia afuera, porque cualquier cantidad dada del recurso medioambiental puede ahora ajustarse a una mayor producción.

Por este y otros motivos, el supuesto de que el uso de los recursos medioambientales aumenta en proporción directa con la producción tal vez no se sustente en la práctica. En este caso, el uso óptimo de los recursos medioambientales sigue estando determinado por la intersección de las curvas BNM y CEM, donde el beneficio neto marginal de utilizar una unidad más del recurso medioambiental es justamente equivalente al costo externo marginal. Sin embargo, la relación entre la producción y el uso de los recursos medioambientales deja de ser lineal, como sugiere la Figura 6-1.

Otra posibilidad es privatizar los derechos de propiedad sobre los activos medioambientales y crear mercados con permisos transables. Por ejemplo, el Programa contra la lluvia ácida del Gobierno de los EE.UU. –lo que Stavins (1998) llama El Gran Experimento en Política– efectivamente ha dado a los productores el derecho a emitir 8,9 millones de toneladas de dióxido de sulfuro al año (Ellerman 1999).[2] Desde luego, los productores ya estaban utilizando estos activos medioambientales incluso antes de ser propietarios de ellos. La propiedad, sin embargo, llevó a una cantidad de sucesos importantes. Hoy en día las empresas pueden comprar y vender estos activos, lo que las provee de un incentivo adicional para usarlos lo más eficientemente posible.[3] El papel del gobierno como regulador ha disminuido y cambiado radicalmente. En general, el programa parece haber producido beneficios considerables, tanto para el medio ambiente como para la economía.

Históricamente, los gobiernos se han basado principalmente en *mecanismos oficiales de control*, los que fiscalizan directamente el comportamiento de las empresas y los consumidores. Controles que exigen que las empresas utilicen tecnologías específicas, tales como depuradores de gases o convertidores catalíticos, son ejemplos de mecanismos oficiales de control. También lo son los límites sobre la cantidad máxima de contaminantes que las empresas pueden emitir durante un período dado. Sin embargo, en las últimas décadas ha habido apoyo creciente a otro tipo de medidas, tales como impuestos sobre las emisiones y sistemas de permisos transables, que afectan el comportamiento en forma indirecta al modificar los incentivos económicos que enfrentan los contaminadores.

Al obligar a las compañías a pagar por los recursos medioambientales que consumen, los gobiernos las alientan a esforzarse en igual medida tanto para reducir el daño medioambiental como para ahorrar, en términos de la mano de obra, capital y otros insumos que utilizan. Esta es una gran ventaja, porque a través del tiempo permite más producción con menos contaminación. Además, los incentivos económicos alientan a las compañías –aquellas dedicadas a la producción de minerales, sus proveedores y otros también– a desarrollar nuevas tecnologías que reduzcan el daño medioambiental asociado con la minería. Finalmente, los precios de los productos minerales reflejan más precisamente los costos totales de la producción – y, por ende, su valor de escasez real.

Incluso es posible que la amenaza a la disponibilidad a largo plazo de los productos minerales debida a costos medioambientales y otros de tipo social podría mitigarse o eliminarse por completo al obligar a los productores y a los consumidores a pagar dichos costos. Una vez logrado esto, la nueva tecnología debería reducir los costos externos otrora asociados con la minería y el procesamiento de minerales, del mismo modo que logró disminuir en el pasado los costos de mano de obra, capital y otros costos internalizados de la producción de recursos.

Sin embargo, para que esto ocurra, los responsables de formular las políticas públicas necesitan tener la capacidad y la voluntad de obligar a las empresas a

2 La legislación estipula específicamente que los permisos entregados a los productores no constituyen derechos de propiedad, a fin de permitir a los gobiernos la reducción del número de permisos en el futuro sin incurrir en demandas legales de las empresas privadas reclamando una "toma" inconstitucional de su propiedad. En otros aspectos, sin embargo, para todos los fines prácticos los permisos gubernamentales constituyen derechos de propiedad.

3 En los casos donde los contaminantes tienen un impacto local o regional –como ocurre con las emisiones de dióxido de sulfuro– la política pública, además de fijar un tope global, debiera asegurar que las emisiones no estén indebidamente concentradas en una o varias localidades, luego de ocurridas las transacciones.

pagar los costos medioambientales y otros de tipo social asociados con su producción. Luego, una vez que estos estén plenamente internalizados, las empresas deben tener la capacidad de generar las tecnologías necesarias. El resto de este capítulo examina estas dos condiciones necesarias, comenzando por la segunda, porque las perspectivas para su cumplimiento parecen más auspiciosas.

TECNOLOGÍA Y COSTOS MEDIOAMBIENTALES

Hace un siglo –incluso hace 50 años– las empresas productoras de minerales enfrentaban pocas restricciones medioambientales. En general, el medio ambiente se consideraba un bien gratuito, que podía ser utilizado por las empresas y otros como quisieran. Como resultado de ello, había escaso o nulo incentivo para reducir los costos medioambientales. El dióxido de sulfuro, el material particulado y otros contaminantes derivados de la combustión de energía eran expedidos al aire. Otros desechos de la minería se botaban sobre el suelo o dentro de cauces de agua cercanos. Las minas eran abandonadas con poca o ninguna recuperación.

Esta situación ha cambiado mucho en las últimas décadas. El medio ambiente se ha tornado más valioso a medida que la economía se ha expandido y la sociedad se ha vuelto más adinerada. Los gobiernos alrededor del mundo han impuesto reglamentos y otros controles sobre los productores de minerales y otras empresas. Un subproducto interesante de esta situación es la evidencia creciente de que las compañías productoras de minerales, además de otras empresas, son capaces de reducir sustancialmente sus costos medioambientales por unidad de producción cuando tienen los incentivos para hacerlo. Al parecer, los costos medioambientales son igualmente receptivos a los efectos reductores de costos de la nueva tecnología que los costos de capital y mano de obra –y actualmente tal vez incluso más, porque hasta hace poco, los esfuerzos por reducir los costos medioambientales en el sector minero, fueron muy modestos.

Hasta donde sabemos, no existe la posibilidad de efectuar una revisión exhaustiva de esta evidencia para este sector, pero, en todo caso, no es necesario para nuestros fines. Varios ejemplos debieran bastar. Un caso especialmente interesante es la industria del plomo en los EE.UU. La Figura 6-2 entrega un cuadro interesante sobre los orígenes, usos y destinos finales o enajenación de este producto, primero para 1970 y luego para los años 1993-1994. Aunque el consumo creció en alrededor de un 15 % durante este período, disminuyeron la producción primaria nacional y las importaciones netas, en tanto que el reciclaje y la producción secundaria aumentaron a más del doble. A pesar del consumo creciente, el plomo devuelto al medio ambiente –incluido el de las pinturas, las gasolinas y otros usos disipados– cayó en más del 50 %. Las políticas gubernamentales que, por razones de salud, regularon el reciclaje de baterías de vehículos motorizados y restringieron o eliminaron el uso del plomo en pinturas y gasolinas, son acreedoras de la mayor parte del reconocimiento por estos acontecimientos favorables.

Otro ejemplo es la industria del aluminio en Canadá. Como muestra la Figura 6-3, entre 1972 y 1995 logró reducir sus emisiones de material particulado, fluoruros e hidrocarburos aromáticos policíclicos (HAP)[4] en 67, 69 y 86 %, respectivamente, al tiempo que aumentaba la producción a más del doble.

Recientemente, Alcoa ha solicitado una patente para un nuevo proceso que usaría pilas de combustible (*fuel cells*) para generar la electricidad necesaria para fundir la alúmina y convertirla en aluminio. Aunque su desarrollo comercial pueda tardar una década o más, los analistas (Van Leeuwen 2000) creen que esta nueva tecnología podría reducir la cantidad de dióxido de carbono generado por libra de aluminio, de casi 17 libras con la tecnología convencional usando una planta de energía accionada con carbón, a 2,3 libras con la nueva tecnología, es decir, una reducción de más del 85 %. La nueva tecnología también debiera reducir apreciablemente los costos de fundición del aluminio.

Otro caso interesante es la fundición de cobre de Chuquicamata en el Norte de Chile. Como ilustra la Figura 6-4, durante el período 1980-1999, esta fundición aumentó la cantidad de emisiones recuperadas de arsénico de 35 a 90 %, y la cantidad de emisiones recuperadas de dióxido de sulfuro de 0 a 80 %. Codelco, la empresa estatal propietaria de Chuquicamata, gastó US$ 600 millones para efectuar estos mejoramientos. Aunque es una suma enorme, Chuquicamata no obstante logró mantenerse como uno de los productores de cobre más grandes y de menores costos del mundo durante ese período.

Aunque la reducción de las emisiones de dióxido de sulfuro en Chuquicamata es impresionante, existe actualmente la tecnología para captar más del 99 % de éstas. Por consiguiente, las fundiciones en países con normas medioambientales muy estrictas –por ejemplo Japón– remueven todas las emisiones de dióxido de sulfuro, salvo un 1 ó 2 %. Desgraciadamente, al otro lado del espectro, una cantidad significativa de fundiciones todavía permite que el 100 % de sus emisiones se vierta a la atmósfera.

Así, el impacto de la nueva tecnología sobre la contaminación por dióxido de sulfuro es considerable cuando la política pública internaliza estos costos medioambientales, y es mucho menos impresionante en otros lugares. Hoy, las mejores fundiciones están produciendo 100 toneladas de cobre con menos contaminación por dióxido de sulfuro de lo que generaban las fundiciones de solo una tonelada hace varias décadas atrás. Además, alrededor de un cuarto del cobre del mundo se produce actualmente utilizando un nuevo proceso hidrometalúrgico, la extracción por solventes y electroobtención, que pasa totalmente por alto la etapa de fundición del proceso tradicional. Como resultado de ello, el cobre que produce no genera ninguna emisión de dióxido de sulfuro.

---

4 Los HAP, que derivan de la combustión incompleta de los compuestos de carbono, en gran parte son el resultado de incendios forestales y de la quema de madera. En la industria del aluminio, el calcinado de la brea presente en los ánodos genera emisiones de HAP. En las fundiciones más nuevas que ocupan ánodos Soderberg, las emisiones de HAP son casi nulas.

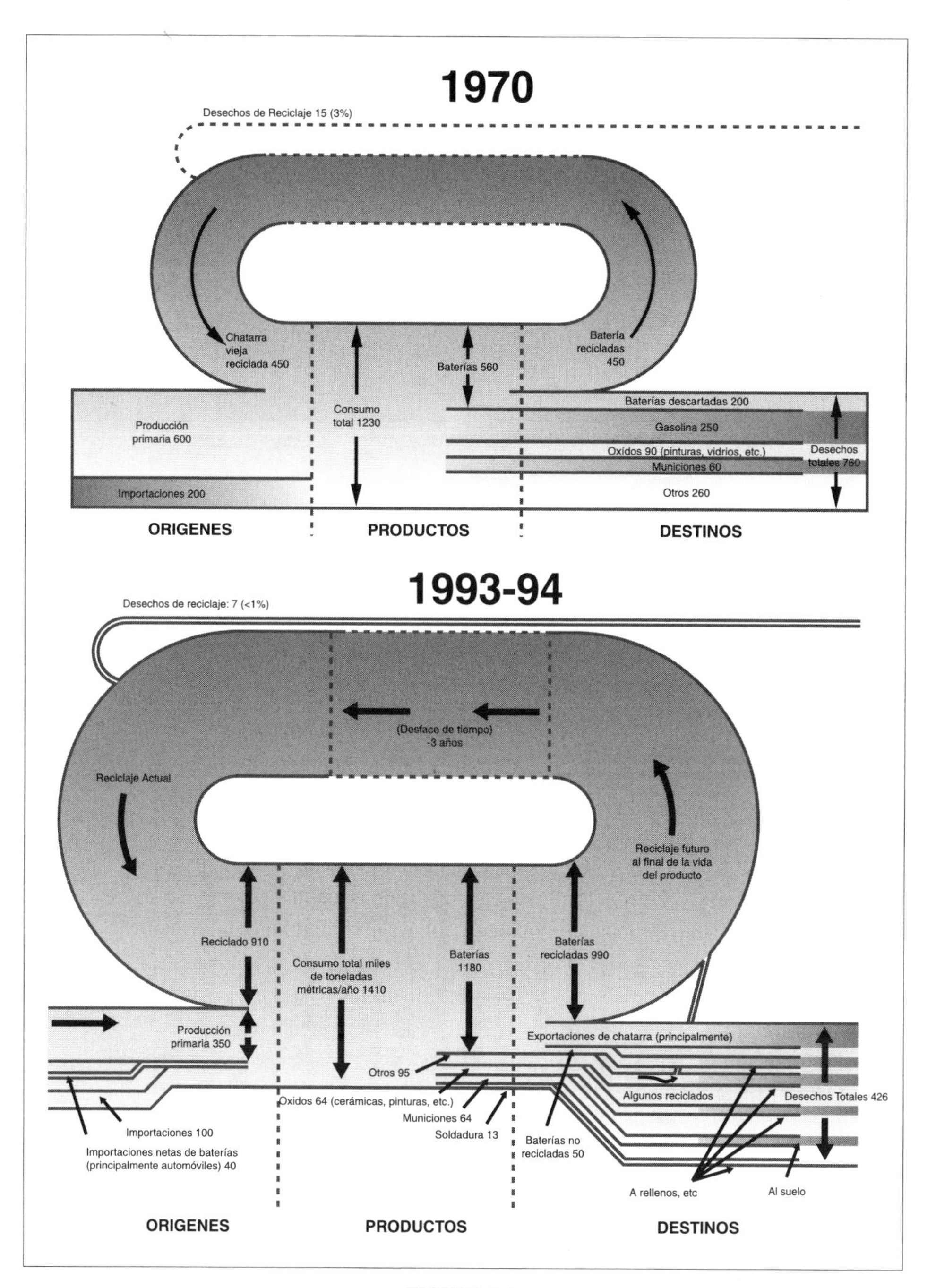

FIGURA 6-2.
FLUJOS DEL PLOMO EN LOS EE.UU., 1970 Y 1993-1994 (MILES DE TONELADAS)

Fuente: Interagency Working Group on Industrial Ecology, Material, and Energy Flows, reproducido en Brown y otros 2000, 14.

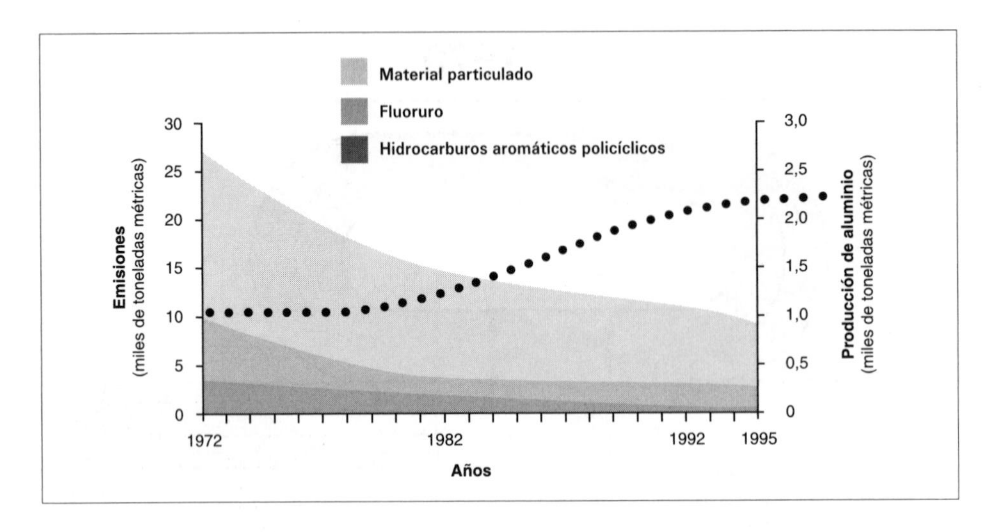

FIGURA 6-3.
PRODUCCIÓN Y EMISIONES AL AIRE DE LA INDUSTRIA DE ALUMINIO CANADIENSE, 1973-1995

Fuente: Ministère de l'Environnement et de la Faune du Québec, citado en Aluminum Industry Association 1997.

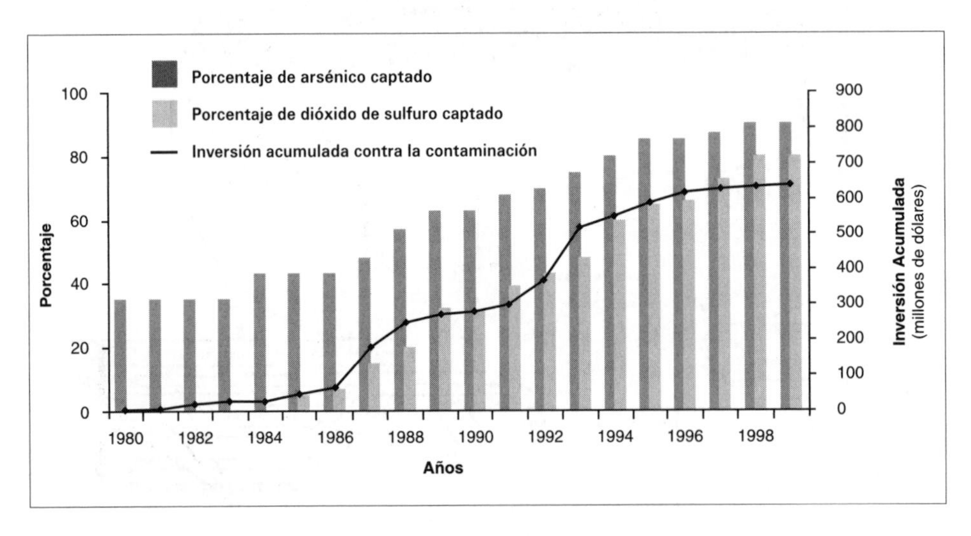

FIGURA 6-4.
PORCENTAJE DE EMISIONES DE ARSÉNICO Y DIÓXIDO DE SULFURO CAPTADO E INVERSIÓN ACUMULADA PARA REDUCIR LA CONTAMINACIÓN EN LA FUNDICIÓN CHUQUICAMATA, CHILE, 1980-1999

Nota: Las cifras para los años posteriores a 1995 son proyecciones.

Fuente: Corporación Nacional del Cobre de Chile (CODELCO)

Hay casos en que las preocupaciones medioambientales u otras pueden impedir la explotación de minerales, en los que la minería o el procesamiento de minerales es simplemente incompatible con la preservación de los recursos medioambientales y otros activos que la sociedad valora mucho. Las actividades que reducen la belleza natural de los parques nacionales, la rusticidad de las áreas remotas, la cultura y las costumbres de los pueblos indígenas y la biodiversidad son ejemplos frecuentemente citados.[5] En estas situaciones, ningún tipo de cambio tecnológico podrá reducir los costos a niveles aceptables, y la política pública puede acertadamente prohibir el uso de ciertos sitios para la explotación minera.[6] De hecho, esto es lo que ha ocurrido en la mayoría de los países. Aunque ello dificulta que los efectos de la nueva tecnología, que tiende a reducir los costos, compense los efectos del agotamiento, que tiende a aumentarlos, tales exclusiones, aunque estén creciendo en magnitud, no son incompatibles con la disminución de los costos de los recursos, como lo muestra la historia reciente. Retomaremos este tema en el Capítulo 7.

INTERNALIZACIÓN DE LAS EXTERNALIDADES

Según la sección anterior, actualmente existe la tecnología necesaria para captar todas o casi todas las emisiones de dióxido de sulfuro derivadas de la fundición del cobre. Sin embargo, esta tecnología se ha difundido en forma bastante dispareja alrededor del mundo, reflejando mayormente el éxito o fracaso de las políticas públicas de internalizar los costos medioambientales. Esto nos lleva de regreso a la primera de las condiciones necesarias para evitar una restricción medioambiental sobre la disponibilidad a largo plazo de los productos minerales, concretamente a que las políticas públicas deban obligar a las empresas a pagar la mayoría o la totalidad de los costos medioambientales y cualquier otro costo externo asociado a sus actividades. Esto, a su vez, requiere (1) que los gobiernos puedan identificar y medir estos costos con algún grado de precisión, y (2) que posean los medios y la voluntad para obligar a las empresas a pagarlos o, al menos, la mayor parte de ellos.

5 Estas son todas situaciones donde la curva CEM de la Figura 6-1 puede estar por encima de la curva BNM en todas las producciones posibles.

6 No es necesariamente lógico que la exploración también deba excluirse en todos esos sitios. Típicamente, la exploración implica un daño medioambiental mucho menor que la explotación y la operación de una mina. También entrega información que permite una evaluación más precisa de los beneficios potenciales (la curva BNM) de una explotación minera en un sector particular. Aunque este punto pueda inquietar a aquellos que se preocupan de preservar las zonas silvestres, pueden reconfortarse con el hecho de que pocas o ninguna de las empresas privadas tendrían interés en realizar exploraciones en lugares donde la probabilidad de que se les permita explotar un descubrimiento exitoso sería cuestionable.

VALORACIÓN DE LOS BIENES MEDIOAMBIENTALES Y OTROS DE TIPO SOCIAL

Los precios de mercado proveen un buen punto de partida para evaluar el valor de la mano de obra, capital y demás insumos utilizados en la extracción y procesamiento de los productos minerales. Sin embargo, muchos bienes sociales, incluidos el agua limpia, las zonas silvestres, las culturas indígenas y la biodiversidad, no se transan en los mercados y, por ende, se requiere de medios alternativos para ponderar su valor. Para lograrlo, durante las últimas décadas, los economistas y otros han realizado grandes esfuerzos para idear las técnicas requeridas para este fin.

Un enfoque lo constituye el reciente experimento social antes mencionado, que implica la creación efectiva de mercados para los bienes medioambientales. Por ejemplo, durante algunos años el gobierno de los EE.UU. ha permitido que las compañías de energía eléctrica accionadas por carbón transen permisos de dióxido de sulfuro. Las compañías que pueden reducir sus emisiones de dióxido de sulfuro a un costo menor que el precio vigente para el permiso, tienen un incentivo para vender sus permisos. Si ocurre lo contrario, las compañías tienen asimismo otro incentivo para comprar permisos. De modo que el precio de mercado de los permisos refleja el costo social más bajo posible de reducir las emisiones de dióxido de sulfuro en una tonelada adicional. Si (y solo si) el número total de permisos refleja el nivel óptimo de contaminación por dióxido de sulfuro, su precio entrega una buena medida de los costos sociales asociados con una tonelada adicional de emisiones de dióxido de sulfuro. Tal vez más importante, estos permisos obligan a las empresas a internalizar los costos de sus emisiones de dióxido de sulfuro.

Otros enfoques dependen de inferencias derivadas del comportamiento real de los consumidores. Por ejemplo, la diferencia de valor entre casas similares cerca y lejos de un aeropuerto entrega una estimación del costo social (medido en términos de lo que las personas están dispuestas a pagar por concepto de costos adicionales de vivienda) de la contaminación acústica creada por la llegada y salida de aviones. Los estudios que miden los gastos de viaje y otros en los que incurren las personas para usar lagos, arroyos y otros sitios recreacionales también orientan acerca del valor que las personas le asignan a dichos recursos naturales.

Un tercer enfoque, la valoración contingente, surgió más que nada para valorizar una clase de bienes medioambientales apreciados por su valor de "no uso" o de existencia. Por ejemplo, muchas personas pueden asignar un valor positivo a las selvas tropicales del Amazonas, las zonas silvestres de Alaska, o la cultura indígena del pueblo Bla'an que habita la isla de Mindanao en las Filipinas.[7] Esto puede ocurrir aun cuando ellas mismas jamás piensen en visitar el Amazonas, Alaska o las

7 Para una descripción interesante de los esfuerzos de una compañía minera de preservar la cultura Bla'an, ver Davis 1998.

Filipinas. En la práctica, dicho valor de no uso ha probado ser especialmente difícil de medir. La valoración contingente trata de hacerlo preguntándole a las personas, mediante encuestas estructuradas, cuánto pagarían para conservar esos recursos. Se ha utilizado en los EE.UU. tanto para la evaluación de políticas como en casos legales para evaluar el grado de daños a los recursos y también en otros casos. Es considerado generalmente como el único método disponible para valorizar los activos medioambientales y otros de tipo social con un valor de no uso significativo.

Sin embargo, la valoración contingente es polémica, en parte porque no se basa en –y ni siquiera está relacionada con– el comportamiento real. Las personas encuestadas no tienen que pagar efectivamente lo que dicen que pagarían. Entre los expertos, hay acuerdo generalizado de que los estudios de valoración contingente mal diseñados (por ejemplo, aquellos donde los encuestados están inadecuadamente informados o las preguntas insinúan la respuesta deseada) pueden producir resultados altamente defectuosos. Sin embargo, hay mucho menos acuerdo respecto a la confiabilidad de los estudios bien diseñados (ver Recuadro 6-2).[8]

Los críticos censuran la valoración contingente en dos niveles muy diferentes. Primero, muchos sostienen que la metodología (preguntándole a las personas cuánto pagarían) simplemente no produce respuestas confiables, por un sinnúmero de razones. En este caso, la queja es que la valoración contingente no produce la información que pretende –concretamente, la verdadera voluntad de pagar.

RECUADRO 6-2.
EL PROYECTO CORONATION HILL

La aceptación pública, o más bien la falta de ella, también puede constituir un problema serio para el uso de la valoración contingente. Cox (1994) entrega un ejemplo interesante en su análisis de la controversia pública en Australia sobre el proyecto de minería de oro, platino y paladio de Coronation Hill. El gobierno australiano llevó a cabo un amplio análisis de costo-beneficio del proyecto, en gran parte porque este yacimiento se encuentra dentro de la Zona de Conservación de Kakadu en el Territorio del Norte. El estudio utilizó la valoración contingente para estimar el valor de preservación de la zona. El análisis se realizó con mucho cuidado, con la ayuda de expertos extranjeros y de conformidad con procedimientos aceptados. La conclusión más interesante fue que el pueblo australiano tiene fuertes aprensiones respecto del posible daño medioambiental que causaría la minería en la Zona de Conservación, pero el estudio produjo una reacción tan violenta de parte de la industria y otros grupos que el gobierno retiró de su informe final todas las referencias al uso de la valoración contingente.

8 Para una revisión reciente del debate sobre la valoración contingente que sostiene que la mayoría de las supuestas deficiencias pueden resolverse, ver Carson y otros 2001.

Segundo, varios críticos (Humphreys 1992, 2000; Sagoff 2000; Soderholm y Sundqvist 2000) cuestionan el uso de la valoración contingente por razones filosóficas o éticas más fundamentales. Para ellos, aun cuando la valoración contingente apele a respuestas confiables, agregar, en forma generalizada, la voluntad de pagar a todos los individuos de la sociedad no es la manera apropiada para que la misma asigne un valor a los bienes sociales.

Ellos postulan un enfoque alternativo, el cual reconoce que la biodiversidad, las culturas nativas, las zonas silvestres y otros bienes sociales, con valor de no uso considerable, son bienes públicos, al igual que la defensa nacional o el agua potable municipal pura. Aunque estos últimos podrían ponderarse utilizando la valoración contingente, no es así como los gobiernos toman las decisiones presupuestarias para determinar cuánto debe gastarse en tales bienes públicos. Más bien, estas decisiones se toman a través de un proceso político que concilia los diversos intereses competitivos de la sociedad, y no por medio de una simulación artificial, construida por el mercado. Estos dos procesos son muy distintos y pueden conducir a resultados también muy diferentes.

El proceso político permite el debate público. Esto les da, a los individuos y a las organizaciones, la oportunidad de dar a conocer sus puntos de vista, además de informarse mejor sobre los temas en discusión y los puntos de vista de otros. Los críticos de la valoración contingente también afirman que el proceso político se ajusta mejor al hecho de que los individuos tal vez toman decisiones respecto a la compra de bienes privados usando criterios distintos a los que utilizan en relación con los bienes públicos. Por ejemplo, como ciudadanos, los individuos pueden apoyar políticas (tales como impuestos más altos para la educación) que no tienen ningún impacto o que incluso significan un impacto negativo sobre su propio bienestar. Se sostiene que es mucho más probable que el proceso político tenga en cuenta y refleje mejor dicho apoyo que la valoración contingente.

Por cierto, ambos enfoques otorgan mayor poder de expresión a las personas adineradas en la provisión de bienes públicos (porque los ricos tienen más dólares para gastar en los asuntos planteados en los estudios de valoración contingente y para influir sobre el proceso político). Sin embargo, con el proceso político, todo individuo, no importa cuán pobre sea, en definitiva tiene un voto al elegir a los funcionarios públicos. Esto puede hacer que los pobres se sientan menos privados de sus derechos.

Esta revisión de diversas técnicas para valorizar los recursos medioambientales dista de ser exhaustiva o completa, pero es suficiente para mostrar que la medida de los costos sociales totales asociados con la explotación minera es compleja y difícil. Aunque nuestras herramientas en este campo han progresado considerablemente durante las últimas décadas, es necesario avanzar mucho más para contar con medidas confiables de los valores de los recursos medioambientales, en especial de aquellos con valor de no uso.

Desgraciadamente, el debate actual sobre el recalentamiento atmosférico y el cambio climático constituye una excelente ilustración de la necesidad de progresar en esta área. Luego de años de discusión, existe ahora un consenso creciente de que es un hecho el recalentamiento atmosférico, y que el dióxido de carbono y otros gases de invernadero son mayormente responsables de ello. Sin embargo, se sigue discutiendo enérgicamente sobre la velocidad del cambio climático, las consecuencias y los costos, la contribución de las personas en oposición a la naturaleza, y los beneficios de restringir a las industrias y otras actividades humanas que generan gases de invernadero. Estas incertidumbres hacen difícil, si no imposible, evaluar los costos externos asociados con el recalentamiento atmosférico que generan los productores de carbón y otras empresas de minerales. Sin embargo, es necesario reunir ciertos conocimientos sobre estos costos antes de que los gobiernos puedan implementar un impuesto apropiado al carbono o aplicar otras medidas diseñadas para internalizar esas externalidades.

LOS MEDIOS Y LA VOLUNTAD

Una vez determinados los costos medioambientales –mediante la valoración o el proceso político– los gobiernos necesitan contar con los medios y la voluntad para obligar a los productores a pagar dichos costos. Para algunos países –aquellos que están en las etapas iniciales del desarrollo y aquellos en transición desde economías de planificación centralizada a economías de mercado– aún es necesario desarrollar la capacidad institucional requerida. Sin embargo, para la mayoría de los países esto no es un problema y los medios existen. De hecho, como se observó anteriormente, el debate en curso es sobre qué conjunto de herramientas o medios deben utilizar los gobiernos. Los mecanismos oficiales de control, tal vez el instrumento más común, pueden requerir del uso de ciertas tecnologías o equipos, y la fijación de topes a las cantidades permisibles de ciertos contaminantes dados. Sin embargo, los incentivos económicos, tales como los impuestos a la contaminación, han tenido una acogida más favorable en años recientes porque a menudo bajan los costos que implica reducir la contaminación.

Hay problemas para asegurar el cumplimiento, tanto de los mecanismos oficiales de control como de los incentivos económicos, pero no parecen ser mayores que en muchas otras áreas de la política pública, tales como el cumplimiento con la salud y seguridad de los empleados o los impuestos.

Las grandes diferencias antes descritas respecto de la recuperación de emisiones de dióxido de sulfuro encontrado entre las fundiciones del cobre sugieren que la voluntad de los gobiernos de internalizar los costos tal vez represente un problema más serio. Desde luego, algunas de estas diferencias pueden reflejar una capacidad institucional inadecuada que impida, en algunos países, los esfuerzos de internalizar los costos medioambientales y otros de tipo social. Algunas de estas diferencias también pueden estar reflejando los costos medioambientales más bajos asociados con la fundición del cobre en regiones más remotas y menos habitadas. Además, a medida que se vayan reemplazando las antiguas fundiciones a lo largo del tiempo, es probable que se utilicen más ampliamente las tecnologías modernas de control medioambiental. De modo que pueden ser temporales algunas de las discrepancias actuales entre las fundiciones. Sin embargo, dada la larga vida de muchas fundiciones de cobre, la expresión "temporal" podría significar muchas décadas.

Sin embargo, la voluntad de los gobiernos sí aparece como problemática. Los deficientes legados medioambientales de las empresas mineras estatales en Rusia y otros estados con economías en vías de transición plantean algunas inquietudes preocupantes. Claramente, si el gobierno tiene un conflicto de intereses –si es propietario de empresas minerales y las opera, pero a la vez es responsable de asegurar que se adopten prácticas medioambientales aceptables– el medio ambiente a menudo sufre por la falta de voluntad del gobierno de internalizar los costos medioambientales y otros de tipo social.

Otro problema serio y posiblemente más permanente, dadas las recientes tendencias a alejarse de la planificación centralizada y favorecer la privatización de las empresas estatales, tiene que ver con la minería artesanal o informal (ver Recuadro 6-3). Las minas artesanales son altamente ineficientes y, a menudo, dejan mineral en el suelo que las operaciones mejor manejadas explotarían. Son más peligrosas y con frecuencia emplean a mujeres y niños. También son mucho más dañinas para el medio ambiente por unidad de producción. Por ejemplo, muchas operaciones de oro descargan mercurio a las aguas superficiales y subterráneas, generando peligros medioambientales que afectan a sus propios trabajadores, además de otras personas. El drenaje de ácido de las minas, la erosión del suelo, la deforestación y el depósito de lodo en los ríos son otros problemas comunes. Típicamente, los sitios son abandonados con escasa o nula recuperación.

En muchos aspectos, la minería artesanal es la explotación de recursos en las peores condiciones posibles, pero, por otra parte, permite la subsistencia de millones de individuos con pocas o nulas alternativas. Por consiguiente, los gobiernos son renuentes a cerrar estas operaciones –o incluso en muchos casos, a imponerles reglamentos medioambientales y de otro tipo. En síntesis, la minería artesanal representa un serio problema social y político cuya solución está en gran parte en espera de nuevas iniciativas importantes orientadas a eliminar la pobreza y la falta de oportunidades económicas, las que en definitiva, son las responsables de estas actividades marginales tan dañinas para el medio ambiente.

RECUADRO 6-3.
LA MINERÍA ARTESANAL

La minería artesanal es realizada a muy pequeña escala –a menudo ilegalmente– por individuos o grupos utilizando los equipos más simples y primitivos. Según la Organización Internacional del Trabajo (1999), alrededor de 13 millones de personas, junto con 100 millones de dependientes a nivel mundial, dependen de la minería a pequeña escala para su subsistencia. Aunque algunos de estos trabajadores están contratados en la minería mecanizada a pequeña escala, muchos están empleados en el sector artesanal. El número de trabajadores en la minería a pequeña escala rivaliza con el sector minero formal y ha estado creciendo a un 20 % anual durante los últimos cinco años, una tasa mucho más rápida que la del sector minero formal.
Barry (1996, 3) estima que la minería artesanal da cuenta de 20 % del oro, 40 % de los diamantes y casi todas las piedras semipreciosas producidas en África. Algo menos de la mitad de la producción de oro de Brasil proviene de dichas operaciones, una disminución desde un 70 % de hace sólo unos años atrás. Además del oro, los diamantes y las piedras semipreciosas, los mineros artesanales producen cobre, plata, estaño, zinc y carbón.

El cambio climático es otra ilustración de los problemas que puede enfrentar la sociedad en su lucha por encarar efectivamente las externalidades. Incluso, sin las incertidumbres antes mencionadas, la creación de una voluntad política a nivel internacional para restringir los gases de invernadero en un mundo compuesto de muchas naciones-estado independientes es algo tremendamente difícil. Los países en vías de desarrollo afirman que ellos no crearon el problema y no debieran ahora tener que retardar su crecimiento para reducir las emisiones de gases de invernadero. El mundo industrializado sostiene que las reducciones selectivas en solo unos pocos países no serán efectivas. Otros países, a su vez, pueden beneficiarse de un clima más cálido, o creen que podrían beneficiarse con ello y, por lo tanto, no tienen gran interés en apoyar los esfuerzos por aminorar o revertir el cambio climático. Y todos los países están renuentes a soportar más costos de los que creen que es su justa proporción, la que, invariablemente, es menos de lo que proponen los otros países. Las posibilidades de un punto muerto son obvias.

CONCLUSIONES

El cambio en el debate sobre la disponibilidad a largo plazo de los recursos minerales no renovables durante los años 90 da lugar a algunos planteamientos interesantes al centrarse en la restricción potencial que el medio ambiente, y otros costos externos, pueden imponer a la explotación de recursos. Como se señaló en los capítulos anteriores, al parecer en el pasado, los científicos y los ingenieros habrían logrado generar con éxito la nueva tecnología y otras innovaciones necesarias para contrarrestar los efectos tendientes a aumentar los costos del agotamiento de los recursos.

En el futuro, si los costos medioambientales y otros de tipo social pasan a representar un componente más importante del costo total de la producción y uso de los recursos minerales, lo que parece probable, la tendencia favorable hacia una mayor disponibilidad de recursos minerales podría continuar, como hemos visto, pero sólo si se cumplen dos condiciones. Primera: los productores de minerales, con la ayuda de la ciencia y la tecnología, deben poder seguir compensando la presión ascendente sobre sus costos por causa del agotamiento. Segunda: la política pública debe internalizar una mayor proporción de los costos medioambientales y otros de tipo social resultantes de la producción de minerales, de manera que los productores tengan incentivos para la reducción de estos, además de sus otros costos. El hecho de no obligar a las empresas a pagar todos o casi todos los costos sociales que generan socava su motivación a desarrollar y adoptar nuevas tecnologías tendientes a reducir estos costos, y priva a la sociedad del arma más efectiva que posee para mitigar el daño inflingido al medio ambiente.

De estas dos condiciones, la segunda pareciera ser la más desafiante. El cumplimiento de esta condición implicará a analistas de políticas, economistas, cientistas políticos y otros cientistas sociales en la lucha para asegurar la disponibilidad a largo plazo de los productos minerales. De hecho, es posible que su papel resulte incluso más difícil que el de sus colegas en las ciencias de la ingeniería y las ciencias naturales, porque los problemas para valorizar los recursos medioambientales y para asegurar que los gobiernos tengan la voluntad y la capacidad de internalizar todos los costos sociales puede resultar más difícil que los retos técnicos más tradicionales.

REFERENCIAS

Barry, M., ed. (1996). **Regularizing Informal Mining: A summary of the Proceedings of the International Roundtable on Artisanal Mining**. Occasional Paper No. 6. Washington, DC, The World Bank, Industry and Energy Department.

Brown, W. M., and others (2000). **Materials and Energy Flows in the Earth Science Century,** A summary of a Workshop Held by the USGS in November 1998, U.S. Geological Survey Circular 1194. Denver, CO, U.S. Geological Information Services.

Carson, R. T., and others (2001). "Contingent valuation: controversies and evidence." **Environmental and Resource Economics** 19: 173-210.

Cox, A. (1994). Land access to mineral development in Australia. **Mining and the Environment.** R. G. Eggert. Washington, DC, Resources for the Future.

Davis, S. L. (1998). "Engaging the community at the Tampakan copper project: A community case study in resource development with indigenous people". **Natural Resources Forum** 22: 233-243.

Ellerman, A. D. (1999). "The next restructuring: Environmental regulation". **The Energy Journal** 20(1): 141-147.

Humphreys, D. (1992). **The Phantom of Full Cost Pricing**, A paper given at the International Council on Metals and the Environment seminar on full cost pricing. London, The RTZ Corporation PLC.

Humphreys, D. (2000). "Taxing or talking: addressing environmental externalities in the extractive industries". **Minerals & Energy** 15(4): 33-40.

International Labor Organization (1999). **Social and Labour Issues in Small-Scale Mining.** Geneva, International Labour Office.

Mendonça, A. (1998). **The Use of the Contingent Valuation Method to Assess Environmental Cost of Mining in Serra dos Carajas: Brazilian Amazon Region**, Unpublished PhD dissertation. Golden, CO, Division of Economics and Business, Colorado School of Mines.

Mendonça, A. and J. E. Tilton (2000). "A contingent valuation study of the environmental costs of mining in the Brazilian Amazon". **Minerals & Energy** 15(4): 21-32.

Sagoff, M. (2000). "Environmental economics and the conflation of value and benefit". **Environmental Science & Technology** 34(8): 1426-1432.

Soderholm, P. and T. Sundqvist (2000). "Ethical limitations of social cost pricing: An application to power generation externalities". **Journal of Economic Issues** 34(2): 453-462.

Stavins, R. N. (1998). "What can we learn from the grand policy experiment? Lessons from SO_2 allowance trading". **Journal of Economic Perspectives** 12(3): 69-88.

Van Leeuwen, T. M. (2000). **An Aluminum Revolution III**, Desk Notes, September 29. New York, Credit Suisse First Boston Corporation.

CAPÍTULO 7

HALLAZGOS E IMPLICANCIAS

En las últimas décadas hemos aprendido mucho acerca de la disponibilidad a largo plazo de los productos minerales, en gran parte gracias al activo debate sobre este importante tema entre los estudiosos y otras personas. Por ejemplo, ahora sabemos que es improbable que el mundo despierte un día y encuentre la alacena vacía o el pozo seco. Los productos minerales no se agotarán como la gasolina de un automóvil, el que minutos antes circulaba velozmente por una autopista y ahora se encuentra detenido en la berma. El agotamiento, si llega a transformarse en un problema serio, hará aumentar los costos reales del hallazgo y elaboración de los productos minerales, pero probablemente en forma lenta y persistente a través de años y décadas. Seguramente aparecerán signos de escasez inminente mucho antes de producirse déficits importantes.

Esto se debe a que los recursos minerales que satisfacen las necesidades materiales y energéticas de la sociedad varían mucho en términos de calidad. Los recursos de alta calidad y bajo costo que se están explotando actualmente dan cuenta de apenas una fracción del total. Una vez agotados, continuarán habiendo grandes cantidades de recursos de más baja calidad que, en ausencia de cambios tecnológicos compensatorios, serán más caros de encontrar y explotar. Mucho antes de consumirse estos recursos de calidad inferior –la última onza de plata o la última tonelada de carbón en la corteza terrestre– los costos serían prohibitivos.

De manera que el agotamiento hace surgir el fantasma de un mundo donde los recursos son demasiado caros de utilizar más que de un mundo sin recursos. Esto significa que la forma más apropiada de evaluar la disponibilidad a largo plazo de los productos minerales es a través del paradigma del costo de oportunidad en lugar del de *stocks* fijos. Este hallazgo lleva a dos importantes corolarios.

Primero, el agotamiento ya no es inevitable. Aunque, con el tiempo, el agotamiento tiende a aumentar los costos y precios de los recursos minerales, la nueva tecnología tiende a mitigar esta tendencia. De hecho, podría haber una mayor disponibilidad de productos minerales a lo largo del tiempo si los efectos de la nueva tecnología, que tiende a reducir los costos, compensara con creces los efectos del agotamiento, que tiende a aumentarlos.

Segundo, las medidas de disponibilidad deben reflejar el sacrificio que hace la sociedad para obtener cantidades adicionales de productos minerales. Entre los posibles indicadores de este sacrificio están los costos de uso, costos de producción y precios. Los precios son la medida utilizada más comúnmente, porque están fácilmente disponibles y reflejan las tendencias tanto de los costos de uso como los de producción. Aunque estas tres medidas adolecen de algunas falencias e incluso a veces pueden moverse en direcciones opuestas, entregan información mucho más útil respecto de las tendencias de disponibilidad que las medidas de *stocks* fijos, tales como las expectativas de vida de las reservas o de los recursos totales.

También sabemos ahora que, durante los últimos 130 años, la nueva tecnología ha mantenido bajo control los efectos adversos del agotamiento, a pesar del crecimiento sin precedentes tanto de la población como del consumo de productos minerales. Los costos de producción y los precios reales de muchos productos minerales de hecho han bajado, sugiriendo que su disponibilidad ha aumentado.

Desde luego, también ha habido déficit. De hecho, han ocurrido con cierta regularidad por varios motivos –guerras, huelgas, auges económicos, carteles, insuficiente inversión en nuevas minas e instalaciones de procesamiento, además de políticas gubernamentales contraproducentes– pero el agotamiento no figura entre ellos. Esto es afortunado y explica por qué los déficits que el mundo ha experimentado hasta ahora no han durado mucho.

Sin embargo, dos nubes o advertencias ensombrecen este panorama bastante optimista. Primero, sabemos que el pasado no es necesariamente un buen guía para el futuro. Aunque los actuales niveles y tasas de acumulación de reservas minerales son prometedores para las próximas décadas, es mucho más difícil discernir lo que ocurrirá en el futuro más distante. Simplemente no contamos con las herramientas para predecir el rumbo futuro del cambio tecnológico con el nivel de precisión necesario como para saber si será suficiente para compensar los efectos negativos del agotamiento.[1]

Segundo, nuestras medidas de disponibilidad sólo toman en cuenta los costos de los productores y los precios que sus clientes reconocen y pagan. No consideran los costos medioambientales y otros costos externos asociados con la producción y el uso de productos minerales. En cualquier momento, esta omisión impondrá un sesgo descendente a nuestras medidas de disponibilidad, subestimando los costos y precios reales de los productos minerales.

Sin embargo, de qué manera afecta las tendencias a lo largo del tiempo es menos claro. Debe admitirse que la tendencia a que los costos medioambientales aumenten en importancia y como porcentaje de los costos totales hace que nuestras medidas de disponibilidad sobrestimen cada vez más la disponibilidad y subesti-

1 Por este y otros motivos, no existen mercados futuros a muy largo plazo para los productos minerales, donde, por ejemplo, se pudiera comprar petróleo para su entrega 50 ó 100 años más adelante. La ausencia de dichos mercados puede introducir cierta miopía en la evaluación de la escasez por parte de los observadores, al enfocar su vista en el presente y en el futuro muy cercano, donde sí existen precios de mercado.

men la escasez. Por el contrario, los considerables esfuerzos que han realizado los gobiernos alrededor del mundo durante las últimas décadas para obligar a las compañías y a los consumidores a pagar una mayor proporción de los otrora costos externos, han compensado parcial y, tal vez, totalmente, este sesgo ascendente.

En cuanto al futuro, algunos creen que los crecientes costos medioambientales y otros de tipo social podrían imposibilitar la producción y uso generalizado de los productos minerales, obligando a los gobiernos a imponer reglamentos y otras políticas para restringir considerablemente su uso. Hemos visto que no tiene por qué ser así, pero sí requiere que las políticas públicas internalicen más completamente los costos externos, y que la sociedad continúe –como lo ha hecho en el pasado– generando la tecnología necesaria para impedir el aumento de los costos de los productos minerales (que en ese caso incluiría todos los costos sociales).

Desgraciadamente, no es fácil ni seguro que puedan cumplirse estas dos condiciones necesarias. Es cierto que la historia reciente sugiere que, una vez que se obligue a las empresas a pagarlos, los costos medioambientales y otros de tipo social podrían resultar igualmente susceptibles a los efectos reductores de costos de la nueva tecnología que los costos de otra índole. No obstante, es posible que no sea fácil internalizar estos costos, por dos razones. Primero, todavía es necesario avanzar mucho en el desarrollo de técnicas aceptables para medir el valor que tienen el medio ambiente, las culturas indígenas y otros bienes sociales. Esto es especialmente válido respecto de aquellos bienes que tienen un considerable valor de no uso y donde diferentes grupos dentro de la sociedad tienen sistemas valóricos contrapuestos que llevan a preferencias muy distintas. Segundo, la voluntad política para obligar a las empresas a pagar todos los activos que utilizan puede flaquear, especialmente en regiones donde el desempleo y la pobreza son generalizados, así como en otros lugares.

Entonces, a pesar de todo lo que hemos aprendido respecto de la disponibilidad a largo plazo de los productos minerales, la pregunta principal permanece sin respuesta. Simplemente no sabemos si acaso las siguientes generaciones enfrentarán o no un futuro de escasez de productos minerales. Aquellos que piensan de otra manera nos piden compartir su fe, o falta de ella, en la tecnología. Es por ello que el debate continúa.

Disponer de mayor información geológica sobre la incidencia y naturaleza de los yacimientos minerales, en especial de los subeconómicos, ayudaría mucho a resolver esta inquietud crítica al entregar información útil acerca de la naturaleza y forma de las curvas de oferta acumulativas. Sin embargo, los conocimientos necesarios no están disponibles, ni es probable que lo estén a corto plazo, en gran parte porque existe escaso incentivo económico para aprender más acerca de yacimientos cuya explotación rentable se dará, en el mejor de los casos, en muchos años más.

A pesar de esta situación algo frustrante, de todos modos surgen importantes implicancias a raíz de lo que sí sabemos respecto de la disponibilidad a largo plazo de los productos minerales: implicancias para el desarrollo sustentable; para la "contabilidad verde" *(green accounting)*; para las culturas indígenas y otros bienes sociales; para la conservación, reciclaje y uso de recursos renovables; y para la población, la pobreza y la discriminación.

DESARROLLO SUSTENTABLE

Desarrollo sustentable es un término que tiene muchos significados. Se ha atribuido en forma generalizada a la Comisión Mundial para el Medio Ambiente y el Desarrollo –mejor conocida como la Comisión Brundtland en atención a su presidente, Gro Harlem Brundtland- la introducción del término *desarrollo sustentable* al léxico público en su informe *Nuestro Futuro Común.* Este informe define el desarrollo sustentable como aquel que "satisface las necesidades del presente sin comprometer la capacidad de las futuras generaciones de satisfacer sus propias necesidades". (World Commission on Environment and Development 1987, 8)

Desde entonces, como han observado Toman (1992) y otros escritores, han aparecido muchas otras definiciones. Para algunos, *desarrollo sustentable* significa proteger un ecosistema específico, para otros preservar la biodiversidad y para otros proteger una cultura indígena o comunidad local contra la explotación de una mina cercana. Luego están aquellos que visualizan el desarrollo sustentable en términos de ayudar a una comunidad minera a mantenerse económicamente viable una vez que el mineral se ha agotado y las minas se han cerrado. Otro uso es considerar que el desarrollo sustentable es la distribución equitativa de ingresos, bienes y recursos entre diferentes países y personas actualmente y, por ende, es un concepto que carece de una dimensión intertemporal.

Aquí utilizamos *desarrollo sustentable* en el sentido de que la generación actual se comporte de tal manera que no impida que las futuras generaciones gocen de un nivel de vida al menos comparable con el suyo. Esta definición es bastante común entre los economistas. Al igual que la definición original de la Comisión Brundtland, tiene una orientación macro, centrándose en los cambios en el bienestar de la sociedad como un todo a lo largo del tiempo en lugar del bienestar de un ecosistema o comunidad local en particular.

Específicamente, nuestra preocupación va orientada a la posibilidad de que el consumo actual de productos minerales pueda obligar a las generaciones futuras a aceptar un nivel de vida más bajo. Aunque el *desarrollo sustentable* sólo ha emergido como una inquietud popular durante el último par de décadas, hemos visto que los temores en torno al agotamiento de recursos datan, al menos, desde los escritos del siglo XVIII de Thomas Malthus y los economistas clásicos. La disponibilidad a largo plazo de los productos minerales nos importa por muchas razones, pero la principal es supuestamente la creencia generalizada de que una escasez creciente podría amenazar el bienestar de las futuras generaciones.

Sin embargo, al reflexionar un poco, el vínculo entre la disponibilidad a largo plazo de los productos minerales y el *desarrollo sustentable* resulta ser bastante más tenue de lo que podría sospecharse en primera instancia. Esto es porque el potencial de las generaciones futuras de gozar de un nivel de vida equivalente al actual depende de todos los activos que les traspasemos. Abundantes recursos minerales de bajo costo son apenas uno de ellos. Otros incluyen capital físico o hecho por el hombre (casas, fábricas, escuelas, edificios de oficinas, caminos, puentes y otra infraestructura), capital humano (población sana, bien educada), capital natural (medio ambiente limpio, zonas silvestres prístinas y una rica biodiversidad), instituciones políticas y sociales (gobierno estable y democrático, un sistema legal bien desarrollado y una tradición de resolución de los conflictos por medios pacíficos), cultura (literatura, música, arte y danza) y, desde luego, tecnología.

Por consiguiente, aumentar la disponibilidad de productos minerales puede hacer más fácil lograr el *desarrollo sustentable*, pero claramente no lo asegura. Una generación que deja de invertir en nueva tecnología, despoja el medio ambiente y perpetúa la pobreza generalizada en aras de proteger el *stock* de recursos minerales para su uso futuro probablemente no logre un desarrollo sustentable, y menos aún los elogios de las generaciones futuras.

Sin embargo, el *desarrollo sustentable* es posible incluso si disminuye la disponibilidad a largo plazo de los productos minerales. Simplemente requeriría de un aumento compensatorio de los demás activos traspasados a las generaciones futuras. De hecho, las generaciones futuras hasta podrían verse favorecidas con un incremento de la explotación actual de productos minerales si esto permitiera que la generación actual gastara más en infraestructura, educación, investigación y desarrollo, y otros tipos de inversiones. (ver Recuadro 7-1)

En cualquier caso, la tasa de extracción de minerales parece ser, en el mejor de los casos, solo un determinante modesto del *desarrollo sustentable*. Mucho más importante es cuánto derrocha la generación actual en guerras, corrupción, mal manejo innecesario y otras actividades tendientes a reducir el bienestar. Muy importante también es qué proporción de los gastos para aumentar el bienestar destine la generación actual a su propio consumo y cuánto a la inversión.

Durante el último siglo, la elaboración de productos minerales ha crecido explosivamente, sin embargo su disponibilidad a largo plazo ha aumentado, gracias, en gran parte, a la inversión en investigación y desarrollo, que ha generado un flujo continuo de nuevas tecnologías. Esta inversión, aunada con las demás inversiones de la sociedad, ha dejado a cada generación sucesiva en mejores condiciones que la de sus padres –al menos en los países industrializados.

Esto plantea dos preguntas interesantes. **Primero:** Aunque el *desarrollo* *sustentable* se ha convertido en el Santo Grial utilizado actualmente para juzgar gran parte de la política pública y el comportamiento, ¿podría tal vez ser una meta demasiado modesta? ¿No querríamos que la generación de nuestros hijos y nietos tuviera una situación considerablemente mejor que la nuestra, al igual que nuestra generación tiene una situación considerablemente mejor que la de nuestros padres y abuelos? ¿Habremos puesto la vara demasiado baja?

Segundo: ¿Cuánto debería estar ahorrando la generación actual y cuánto debería estar invirtiendo? Aunque es fácil apuntar a casos de derroche de consumo en otros, en especial en aquellos más adinerados que nosotros, la pobreza también es generalizada.

Una gran parte de la población mundial actual no cuenta con alimentación, vivienda, atención médica o educación adecuadas. Al decidir cuánto de nuestros ingresos actuales debemos invertir para las generaciones futuras, ¿cómo podemos sopesar y comparar la equidad intergeneracional con la intrageneracional? El asunto se complica aún más por el hecho de que el proveer alimentos, vivienda, atención médica y educación a los pobres de hoy también representa una inversión para el futuro. Volveremos a este importante tema al examinar las implicancias de la disponibilidad de recursos para la población.

RECUADRO 7-1.
SUSTITUIBILIDAD ALTA VERSUS BAJA

Dando un (gran) paso más allá, algunos economistas (Solow 1974; Hartwick 1977; Dasgupta y Heal 1979) incluso han sostenido que el *desarrollo sustentable* es posible con el agotamiento total de los productos minerales no renovables, utilizando modelos con supuestos de alta sustituibilidad. Estos supuestos permiten la sustitución de los recursos minerales no renovables por otros insumos en la producción de todos los bienes críticos.

Por el contrario, no es sorprendente que los modelos con supuestos de baja sustituibilidad –que permiten cierto grado de sustitución pero no la eliminación total de los productos minerales en la producción de bienes y servicios– encuentran que el agotamiento total de los recursos minerales es incompatible con el desarrollo sustentable. Los defensores de este último conjunto de modelos (Daly 1996; Ruth 1995; Neumayer 2000) son bastante convincentes al sostener que el supuesto de alta sustituibilidad desafía las leyes de la naturaleza.

Sin embargo, el debate respecto de la sustituibilidad alta y baja, aunque revista cierto interés intelectual, puede tener una relevancia cuestionable en la práctica. Como se señaló más arriba, el agotamiento físico no es lo importante. Literalmente no se nos acabarán los recursos. La escasez tal vez haga subir los costos de algunos productos minerales lo suficiente como para impedir su uso generalizado, pero continuará habiendo recursos sin extraer que estarán disponibles a algún precio. Como hemos visto, los precios más altos hacen más difícil lograr el *desarrollo sustentable*, pero no necesariamente lo impiden.

LA "CONTABILIDAD VERDE" (*GREEN ACCOUNTING*)

Entre las grandes invenciones económicas del siglo XX están las modernas cuentas de ingresos nacionales y de productos. Las cuentas de ingresos, tales como el conocido producto interno bruto (PIB), miden los ingresos y gastos totales de una nación durante un año u otro período. Las cuentas de activos indican los activos, pasivos y riqueza neta de una nación en un momento dado.

Las cuentas de ingresos nacionales y de productos ofrecen una "libreta de notas" útil respecto del desempeño económico de un país. ¿Está creciendo la producción? ¿La relación entre inversión y consumo está subiendo o bajando? ¿Cómo se compara esta relación con la de otros países? ¿Están creciendo los activos totales del país? ¿Algunas regiones se están expandiendo más rápidamente que otras? ¿Cómo se dividen los ingresos totales entre trabajo, capital y otros dueños de recursos? Esta información tiene interés intrínseco y es de incalculable valor para la formulación de las políticas públicas.

Sin embargo, las cuentas de ingresos nacionales y de productos adolecen de algunas deficiencias. Por ejemplo, con pocas excepciones, tradicionalmente se han considerado como ingresos y egresos sólo las ventas y compras que ocurren en el mercado. De este modo, se toman en cuenta los servicios prestados por una empleada doméstica o una administradora del hogar pagada, pero no aquellos de una esposa dueña de casa no pagada. De este modo se excluyen muchas actividades que crean bienestar.

Otra deficiencia importante se refiere al tratamiento de los recursos naturales y el medio ambiente. En la actualidad se toma en cuenta la elaboración de productos minerales y sus flujos a través de la economía, pero se ignoran por completo los cambios en las existencias de activos minerales aún sin extraer. Entonces, aunque se tengan en cuenta la acumulación y la depreciación de los activos físicos (p.ej., planta y equipos), se pasa por alto el descubrimiento de nuevas reservas minerales y su agotamiento a lo largo del tiempo. Esta anomalía es preocupante, porque los recursos minerales frecuentemente constituyen insumos importantes en la producción de bienes y servicios, al igual que el trabajo y el capital. El tratamiento de los activos medioambientales es aún más problemático. No sólo se ignoran los cambios ocurridos en estos importantes activos en las cuentas de activos, sino que, en gran medida, también se pasan por alto en las cuentas de ingresos y de productos.

Estas falencias significan que es posible que un país pueda estar gozando de un crecimiento económico aparentemente fuerte –sobre la base de la explotación de sus recursos naturales y activos medioambientales– pero que, en realidad, sea insostenible y se esté empobreciendo. Un cálculo completo de los costos y beneficios reflejaría un país que no está fortaleciéndose económicamente, sino que está viviendo a costa de sus activos en recursos naturales y medioambientales.

La "contabilidad verde" (*green accounting*) abarca los esfuerzos realizados durante las últimas décadas por los EE.UU. y otros países para mejorar el tratamiento tradicional que se ha dado al medio ambiente y a los recursos naturales en las cuentas de ingresos nacionales y de productos. Esto tiene relación con el *desarrollo sustentable* en el sentido de que un sistema de contabilidad verde bien diseñado debería indicar si una economía particular se está desarrollando de manera sustentable o no.

En el caso de los recursos minerales, los esfuerzos dedicados a la contabilidad verde han generado diversos procedimientos para estimar el valor de las reservas sin extraer. Estas técnicas, descritas con bastante detalle en Nordhaus y Kokkelenberg (1999, Cap. 3), intentan, de diversas maneras, estimar el valor de los costos de uso (o renta de Hotelling) más la renta ricardiana asociada con las reservas existentes, como se ilustra en la Figura 3-2.

Estos esfuerzos indican que la riqueza mineral de EE.UU. ha cambiado poco durante las últimas décadas. Esto significa que el valor de las reservas adicionales, más cualquier revalorización de las reservas debida a cambios en los precios, han compensado más o menos el valor de los agotamientos de las reservas a través del tiempo. Esto da escaso apoyo a la opinión de que el país se encuentra inmerso en un desenfrenado consumo de recursos minerales insostenible, aunque varias décadas tal vez sea un período demasiado breve para evaluar este planteamiento.

Otro resultado interesante de este trabajo tiene relación con la contribución relativamente modesta de los recursos minerales a la riqueza total de los EE.UU. El valor de los recursos minerales de EE.UU. se estima en sólo entre el 3 y el 7 % del capital nacional tangible. (Nordhaus y Kokkelenberg 1999, 104) De agregarse otros activos, tales como el capital humano, estas cifras se reducirían aún más.

Más interesante aún es la relación algo contrapuesta entre la riqueza mineral de un país y la disponibilidad a largo plazo de los productos minerales. Aunque la lógica sugeriría que un aumento en la disponibilidad de minerales debiera incrementar la riqueza mineral, esto rara vez ocurre. Nuevamente, volviendo a la Figura 3-2, podemos ver que el aumento del precio de un producto mineral –señal de su escasez creciente– incrementa la renta ricardiana asociada con las reservas existentes y, por ende, el valor de las reservas minerales sin extraer.

Alternativamente, consideremos el impacto que tendría un nuevo desarrollo tecnológico que permitiera captar unidades termales británicas (BTU) de la energía solar a un costo menor que la minería y combustión del carbón. Los costos de producción de las BTU, que previamente pudieran haberse representado por la función escalonada de la Figura 3-2, ahora lo estarían por una línea horizontal colocada debajo de los costos de la mina de carbón de menores costos. Los yacimientos de carbón ya no tendrían valor alguno, y la energía solar no gozaría ni de renta ricardiana ni de costos de uso (rentas de Hotelling), porque el suministro disponible tendría un costo de producción común y sería ilimitado para todos los fines prácticos. Aunque mejoraría considerablemente la disponibilidad a largo plazo de la energía, este radical suceso eliminaría por completo la riqueza mineral de que gozaron alguna vez los propietarios de los yacimientos de carbón.

Esta pérdida tampoco sería compensada por alguna riqueza mineral nueva, porque la nueva fuente de energía –el Sol– no crearía ni renta ricardiana ni costos de uso.[2] No obstante, este desarrollo mágico aumentaría la capacidad productiva del mundo y, así, crearía otras formas de riqueza. La sociedad se vería beneficiada.

Un ejemplo quizás más realista se refiere al descubrimiento y desarrollo de yacimientos de cobre de alta ley y bajo costo en Chile durante las últimas dos décadas. Al mantener el precio mundial del cobre más bajo de lo que de otra forma hubiera sido, estas nuevas minas han reducido el valor de las reservas de cobre en los EE.UU. y otros lugares del mundo. El mayor valor de las reservas en Chile puede o no haber compensado las pérdidas en otros lugares. Pero al reducir el precio mundial, las nuevas minas en Chile sin duda han aumentado la disponibilidad a largo plazo del cobre a nivel mundial.

EXTRACCIÓN DE MINERALES Y BIENES SOCIALES INCOMPATIBLES

Las culturas indígenas, la biodiversidad y las regiones silvestres son todas ejemplos de bienes sociales que, en opinión de muchos, son sencillamente incompatibles con la extracción de productos minerales. En los casos donde esto ocurre, la internalización de los costos de estos bienes sociales no solo reduce la producción óptima de los recursos minerales sino que la conduce a cero. ¿De qué manera, entonces, puede la sociedad proteger estos bienes sociales sin, al mismo tiempo, inducir una inaceptable escasez a largo plazo de productos minerales?

Como se observó en el Capítulo 6, durante años la política pública ha prohibido la producción minera en ciertas zonas, como parques nacionales y reductos militares. Además, el tamaño total de estas zonas se ha expandido considerablemente durante las últimas décadas, en tanto que la disponibilidad de muchos productos minerales ha aumentado en forma simultánea. Esto sugiere que es posible proteger los bienes sociales incompatibles con la minería sin necesariamente provocar escasez, aunque, sin duda, mientras más territorio se excluya para la extracción de minerales, mayor reto será para la nueva tecnología tratar de impedir que suban los costos y precios de los minerales.

El tema a discutir por las políticas públicas no es el de escoger entre la biodiversidad, las regiones silvestres y las culturas indígenas, por una parte, y la

2 Esto presupone que los sitios solares están fácilmente disponibles y tienen una calidad similar, tanto en términos de la disponibilidad de la energía solar que entra, como en términos de su ubicación para los mercados. Dado que no es así, en la práctica podría surgir la renta ricardiana y tal vez también los costos de uso. Estos se verían reflejados en los precios de los terrenos para los sitios de acopio de energía solar.

disponibilidad de productos minerales por otra. No se trata de "esto o lo otro", "blanco o negro", sino cuál es la mejor solución de compromiso. ¿Cuánta biodiversidad, regiones silvestres y culturas indígenas quiere preservar la sociedad? A medida que aumente la cantidad, también lo hará el precio para la sociedad en términos de la disponibilidad a largo plazo de minerales que se ha sacrificado. Al mismo tiempo, a medida que aumente la cantidad, los beneficios adicionales o marginales para la sociedad disminuirán, suponiendo que los primeros seleccionados para su protección sean los sitios más valiosos para la biodiversidad, las regiones silvestres y las culturas indígenas.

Esto sugiere que las políticas públicas debieran continuar preservando estos bienes sociales y excluir a la minería de las zonas elegidas, hasta el momento en que los costos marginales (en términos de la disponibilidad de recursos sacrificada) equivalgan justamente a los beneficios marginales para la sociedad. Tales políticas podrían o no dar lugar a una escasez de productos minerales a largo plazo, pero aun cuando lo hicieran, de todos modos promoverían el bienestar de la sociedad como un todo.

Además, algunos economistas y analistas de políticas propugnan una política preventiva –una que requiera que los gobiernos, al sopesar los beneficios y los costos, tomen en cuenta el hecho de que una vez que la minería u otras actividades destruyan dichos bienes sociales, el daño muchas veces es irreversible. Por otro lado, a medida que la población y el ingreso per cápita aumenten a lo largo del tiempo, la demanda de los bienes sociales probablemente crezca más rápidamente que la de la mayoría de los demás bienes. A diferencia de otros productos, es difícil o imposible producir bienes que sean ampliamente considerados como sustitutos cercanos de la biodiversidad, las culturas indígenas o las regiones silvestres.

Tales inquietudes, junto con las enormes cantidades de recursos que están por transformarse en económicos y que se sabe existen para muchos productos minerales, sugiere que, al menos para el presente, una política prudente impediría la explotación de minerales en lugares donde se amenazaría a bienes sociales importantes. Por ejemplo, la accidentada historia de la mina Panguna en la isla Bougainville en Papua Nueva Guinea, vista retrospectivamente, indica que el gobierno central y las compañías privadas debieron haber prestado mayor atención a las inquietudes de los pueblos locales. (ver Recuadro 7.2) Algunos podrían incluso sostener que la mina jamás debió haber sido explotada, porque simplemente era demasiado destructivo para la cultura indígena. A pesar del atractivo de este yacimiento, si no se hubiera explotado, el efecto en la evolución a largo plazo de los costos en la industria del cobre mundial habría sido insignificante. De hecho, dada la gran cantidad de yacimientos porfíricos conocidos pero no explotados que podrían producir cobre a costos cercanos a los de muchas de las minas que están operando actualmente, varias de ellas podrían haber sido excluidas de la explotación con escaso efecto en los costos a largo plazo de la producción de cobre.

CONSERVACIÓN, RECICLAJE Y RECURSOS RENOVABLES

La preocupación sobre la disponibilidad a largo plazo de los productos minerales ha promovido, y sigue promoviendo, apoyo generalizado a las políticas públicas y otras actividades que alientan la conservación, el reciclaje y la producción secundaria y, cuando es posible, el mayor uso de recursos renovables. Aunque la disponibilidad a largo plazo de los productos minerales sea desconocida, se sostiene que dichas políticas son deseables como una prima de seguro útil en caso de que comience a haber déficit en el futuro.

Algunos incluso sostienen que estas actividades son inevitables. Afirman que el mundo se encuentra en medio de lo que tiene que ser un período transitorio, mientras explota sus existencias de recursos minerales no renovables a una tasa sin precedentes. Una vez que termine esta época de uso dilapidador, como tiene que suceder, no habrá ninguna elección. El mundo tendrá que depender mucho más de la conservación, el reciclaje y los recursos minerales, y el alza de precios de los productos minerales proporcionará los incentivos para hacerlo.

Aunque estas posturas a menudo se plantean como evidentes e indiscutibles, dan lugar a diversas inquietudes. El resto de esta sección examina primero la conservación y luego se refiere al reciclaje y a la sustitución de recursos no renovables por renovables.

RECUADRO 7-2.
LA MINA PANGUNA

La Mina Panguna comenzó sus operaciones en 1972. CRA, una gran compañía minera australiana, que ahora forma parte de Rio Tinto Limited, explotó y operó la mina que, además de cobre, producía cantidades significativas de oro. Aunque la compañía trabajaba estrechamente con el gobierno central de Port Morseby, con el tiempo los habitantes de la isla Bougainville se fueron poniendo cada vez más hostiles. Creían que su participación en los beneficios era inadecuada, a la vez que sufrían la mayor parte de los costos medioambientales y otros asociados con las operaciones de la mina. Llegaron a ejercer la violencia y obligaron a cerrar la mina abruptamente en 1989. A pesar de contar con reservas considerables, la mina no ha sido reabierta.

CONSERVACIÓN

Conservación puede ser un concepto escurridizo. Para la mayoría de las personas, significa simplemente usar menos. Pero esta definición algo vaga hace surgir la pregunta: ¿cuánto menos? En un extremo –que pocos conservacionistas propugnarían y que, en todo caso, contaría con escaso apoyo público– la conservación podría significar no usar en absoluto.

En el otro extremo, conservación puede significar utilizar los productos minerales en forma eficiente sin gastarlos innecesariamente. Si los precios de los minerales son los correctos, el mercado debiera asegurar su uso eficiente. En este caso, no serían necesarias las políticas públicas o los esfuerzos adicionales para reducir el uso de productos minerales. En la práctica, como se señaló en el Capítulo 6, los precios de los productos minerales a menudo no incluyen todos los costos que su producción y uso imponen al medio ambiente y a otros bienes sociales. En esos casos, es necesaria la política pública para asegurar que se internalicen dichos costos externos. Aquí, nuevamente son pocos, al menos en principio, los que objetarían estos esfuerzos.

La conservación pasa a ser más polémica cuando implica reducir el uso de los productos minerales por debajo de los niveles que dicta la eficiencia de mercado. En ese caso, la sociedad está pagando un precio por la conservación en términos de menor producción y crecimiento más lento. Como se señaló antes, estos costos podrían justificarse como una prima de seguro contra el riesgo de una futura escasez de recursos. Esto supone, sin embargo, que no existen métodos más eficaces en función de los costos para comprar dicho seguro. Tal vez no sea así. Las perspectivas para una oferta futura adecuada podrían mejorar mucho si los ingresos perdidos como resultado de la conservación se utilizaran para desarrollar nuevas tecnologías para encontrar y procesar productos minerales.

Otro motivo posible para reducir los ingresos actuales a fin de promover la conservación radica en la creencia de que mucho del estilo de vida materialista que existe hoy en los países ricos no sólo es innecesario sino indeseable, especialmente porque puede aumentar la probabilidad de futuros déficits de minerales. Así, podría acomodarse una disminución en los ingresos que desalentara el consumo indeseable con poco o ningún costo para la sociedad en su conjunto.

A pesar de cierto atractivo intuitivo, este argumento hace surgir al menos cuatro inquietudes difíciles.

1. ¿Cómo decidimos cuáles gastos son necesarios y deseables, una vez que las preferencias individuales expresadas a través del mercado sean rechazadas como indicadores apropiados? ¿Debemos tomar dichas decisiones colectivamente a través del proceso político? En caso afirmativo, si los patrones de consumo actuales son realmente contraproducentes, ¿por qué las políticas públicas no han introducido impuestos al lujo u otras medidas suficientes para corregir la situación?

2. Una vez resuelto este problema e identificados cuáles gastos son innecesarios e indeseables, ¿no sería preferible desviar esos recursos hacia otras necesidades contemporáneas, tales como vivienda, alimentación y atención médica para los pobres?

3. Como hemos visto, el capital natural que representan los recursos minerales es sólo uno de los muchos activos que serán traspasados por la generación actual, afectando el bienestar de las generaciones futuras. Si estamos preocupados de la equidad intergeneracional y del bienestar de las generaciones futuras, las políticas públicas debieran alentar a la generación actual a consumir menos e invertir más. Podrían realizarse inversiones en educación y capital humano, en el fortalecimiento de las instituciones sociales y culturales, o en el acervo de conocimientos científicos y tecnología. La preservación de los recursos minerales a través de la conservación sólo se consideraría como la mejor inversión bajo condiciones especiales.

4. Como se observó anteriormente, no queda claro que se logre la equidad aumentando el bienestar de las generaciones futuras a costa de la actual, dada la pobreza generalizada que aflige a muchas partes del mundo y la tendencia que ha prevalecido durante el último siglo en los países industrializados de que cada generación sucesiva tenga una mejor situación que la anterior.

Reuniendo todas estas ideas, podemos presentar argumentos convincentes a favor de la conservación, si ésta significa usar los productos minerales eficientemente hasta el punto en que los costos (incluidos todos los costos sociales) de usar una unidad adicional equivalgan justamente a los beneficios para la sociedad. Además, definida así, el mercado debiera alentar el nivel eficiente de conservación en tanto la política gubernamental obligue a los productores y consumidores a pagar todos los costos. Con el tiempo, si la escasez hace subir los precios de los productos minerales, la conservación hará que su uso disminuya. Alternativamente, si la escasez disminuye, permitiendo que los precios bajen, la conservación así definida dictará un aumento en el uso óptimo de los productos minerales. Si conservación significa algo distinto al uso eficiente de los productos minerales –como ocurrió, por ejemplo, con el movimiento conservacionista descrito en el Capítulo 2– resulta más difícil de justificar y más polémico.

RECICLAJE Y PRODUCCIÓN SECUNDARIA

El reciclaje y la producción secundaria constituyen una importante fuente de oferta de muchos metales y, con frecuencia, son sustitutos perfectos de la producción primaria. De manera que si se aumentara el reciclaje, la sociedad podría disminuir la tasa a la que se están explotando los recursos minerales primarios. Sin embargo, esto no significa que todo el metal contenido en productos que están llegando al fin de su vida útil deben ser reciclados. El plomo que antes se agregaba a la gasolina todavía existe y en teoría podría ser reciclado. Sin embargo, en usos tan disipados como ése, reciclar el metal de desecho resulta prohibitivamente caro.

Entonces, ¿cuál es la cantidad óptima de reciclaje que debe emprender la sociedad, y hasta qué punto es necesaria la intervención gubernamental en el mercado para lograr este nivel óptimo? Una postura que es paralela al criterio de eficiencia de la conservación, sostiene que la producción de cobre, plomo, estaño o cualquier otro metal debería dividirse entre la producción primaria y secundaria de modo de minimizar los costos de producción totales. Esto significa continuar reciclando hasta el punto en que el costo de obtener una tonelada más de metal proveniente del reciclaje equivalga justamente a los costos de producir una tonelada más proveniente de la minería. Nuevamente, en ambos casos habría que incluir todos los costos, entre ellos los medioambientales.

Algunos estudiosos que apoyan este punto de vista sostienen que las políticas públicas deben promover el reciclaje, porque la producción primaria obtiene más subsidios de diversos tipos e impone más costos externos a la sociedad que la producción secundaria. Esto no es fácil de demostrar en la práctica, especialmente a la luz de los muchos esfuerzos realizados para promover el reciclaje durante el último par de décadas.

Sin embargo, en la medida que las políticas públicas efectivamente discriminen a favor de la producción primaria, pueden plantearse argumentos válidos para eliminar dicha discriminación y así promover una mayor cantidad de reciclaje.

Otros afirman que las políticas públicas debieran ir más allá. Señalan que el reciclaje, sea o no económico, a menudo depende del comportamiento de los consumidores. Si los consumidores son concienzudos y organizan sus desechos (p.ej., separando los envases metálicos), el reciclaje pasa a ser mucho más competitivo. La educación de los consumidores, al igual que la educación en general, es un tipo de bien público. Al reducir el costo del reciclaje, entrega beneficios a la sociedad que, en el mejor de los casos, las empresas de reciclaje solo pueden captar parcialmente. Si existen tales beneficios externos, los mercados pasarán a ser ineficientes, entregando menos de un bien o servicio de lo que es óptimo desde el punto de vista de la sociedad. Este es el criterio principal para el apoyo gubernamental a la educación y a la investigación y desarrollo. Por consiguiente, reza el argumento, el gobierno tiene un papel legítimo que desempeñar en alentar comportamientos en los consumidores que promuevan el reciclaje.[3] Naturalmente, las políticas públicas deberían tomar en cuenta el valor del tiempo y esfuerzo que los dueños de hogares gastan en reciclaje, además de la satisfacción que muchas personas con conciencia social obtienen de tales esfuerzos.

3 El mismo criterio puede utilizarse para justificar el apoyo gubernamental a la investigación y desarrollo orientados a disminuir el costo del reciclaje y, así, promover la producción secundaria. En este caso, sin embargo, el argumento de la ineficiencia del mercado apoya el financiamiento gubernamental para la investigación y desarrollo orientados también a reducir los costos de la producción primaria. De modo que no queda claro si un apoyo público óptimo a la investigación y al desarrollo favorecería la producción secundaria o más bien la primaria.

Tal vez el argumento más común y problemático para las políticas que favorecen el reciclaje es el que sostiene que la producción secundaria compra tiempo a la sociedad.

Según este argumento, a medida que el mundo se mueve, como debe hacerlo, desde una economía abierta *(cowboy economy)* basada en recursos no renovables, hacia una economía cerrada *(spaceship economy)* basada en recursos renovables y producción secundaria, la producción secundaria retarda el agotamiento. Esto extiende el tiempo disponible para que el mundo "navegue" a través de este período de transición difícil, y reduce los trastornos y privaciones resultantes.[4]

Sin embargo, hemos visto que el agotamiento no depende de la disponibilidad física de los recursos minerales, sino más bien de los costos. En el caso de que el agotamiento llegue eventualmente a aumentar los costos de la producción primaria en forma considerable, entonces el mundo tendrá que hacer la transición desde los recursos primarios no renovables hacia los recursos renovables y la producción secundaria. Sin embargo, obligar a la sociedad a incurrir en estos costos ahora es cuestionable por al menos dos razones. Primero, aunque los productos minerales primarios pueden llegar a escasear en el largo plazo, ello no es seguro. ¿Por qué pagar por aliviar un problema que tal vez no surja? ¿Por qué no pagar, eventualmente, en el momento que el problema ocurra efectivamente?[5]

Segundo, aun cuando la escasez fuera segura, hay mejores formas de gastar los ingresos que se pierden al impulsar el reciclaje más allá del punto en que minimiza los costos totales de producción para los productos minerales. Por ejemplo, la promoción de tecnologías que reduzcan los costos de encontrar y elaborar productos minerales, o que desarrollen alternativas apropiadas, puede constituir una estrategia mucho más efectiva para mitigar el impacto del agotamiento. Más en general, y como hemos visto, invertir dichos fondos en atacar la pobreza, fortalecer las instituciones, reducir la corrupción y aumentar la estabilidad política, podría pagar dividendos mucho más altos a las generaciones futuras en compensación por nuestro posible fracaso de mantener la disponibilidad a largo plazo de los productos minerales.

Es importante resaltar que lo anterior no necesariamente reniega del apoyo público para el reciclaje. Sin embargo, sí implica que el argumento en favor de dicho apoyo no es algo evidente, sino que requiere de verificación empírica.

---

4 Un ejemplo reciente y bien desarrollado de este punto de vista aparece en Ackerman 1997.

5 Kolstad (1996) esgrime un argumento similar, aunque más sofisticado, a favor de avanzar más lentamente en términos de las políticas sobre el recalentamiento atmosférico. Con respecto, tanto al reciclaje como al recalentamiento atmosférico, podría sostenerse que si se espera hasta que el problema esté claro, será demasiado tarde para que la política sea útil. Sin embargo, no queda para nada claro porqué esto habría de ocurrir en el caso del reciclaje.

RECURSOS RENOVABLES

La energía solar, la biomasa y otros recursos renovables son regenerables dentro de una escala temporal relevante para la humanidad y, por ende, pueden usarse indefinidamente. ¿Significa esto, como a veces se sostiene, que la sociedad debería promover el uso de recursos renovables en lugar de los no renovables?

La respuesta a esta pregunta va en estrecho paralelo con las discusiones previas sobre la conservación y el reciclaje. Existe un sólido argumento para la ineficiencia del mercado y para una intervención gubernamental que favorezca los recursos renovables en lugar de los no renovables, en el caso de que la producción y uso de los recursos no renovables imponga costos externos más altos, o si, de otra manera, reciba subsidios que superen aquellos otorgados a la producción y uso de los recursos renovables. Por otra parte, si un análisis cuidadoso de los subsidios relativos documenta que en realidad se está favoreciendo a los recursos renovables, entonces la política gubernamental debe inclinarse en la dirección opuesta.

Las políticas gubernamentales que favorecen el uso de recursos renovables más allá de tales medidas son más difíciles de justificar, porque reducen los ingresos y la riqueza. Este costo ayuda a mitigar un problema que tal vez no suceda nunca. Además, los ingresos y la riqueza sacrificados por la generación actual podrían, si se gastaran de otras maneras, aumentar aún más el bienestar de las generaciones futuras.

Esto parece ser especialmente válido dado que los recursos renovables también pueden agotarse si su uso supera los niveles sustentables. Un somero vistazo a los recursos que generaron las mayores preocupaciones a comienzos del siglo XXI nos muestra que están enfocadas mayormente hacia los recursos renovables –clima, capa de ozono, agua, aire, suelos, ballenas y biodiversidad en general. La percepción general de que los recursos renovables son sostenibles pero los no renovables no, es claramente incorrecta. En efecto, en el caso de los recursos renovables, su agotamiento físico, en algunos casos, representa una verdadera amenaza, como ilustra la extinción de muchas especies animales durante el siglo pasado. Por este motivo, los términos *recursos renovables* y *recursos no renovables* son engañosos. Ambos pueden agotarse y, en el caso de los renovables, el agotamiento puede implicar más que una simple alza de precios.

POBLACIÓN, POBREZA Y DISCRIMINACIÓN

Esta sección final explora la fascinante relación entre la disponibilidad a largo plazo de los productos minerales y la población mundial. En particular, se centra en dos temáticas. La primera se refiere a la influencia de la disponibilidad de recursos sobre la población y plantea la pregunta: ¿en qué medida la disponibilidad de productos minerales impone un límite superior o techo a la población mundial? El segundo examina la influencia de la población en la disponibilidad de recursos, y considera la pregunta: ¿una población creciente representa una amenaza a la disponibilidad a largo plazo de los productos minerales?

EL TECHO POBLACIONAL

En algún momento dado, los recursos mundiales disponibles efectivamente imponen un límite superior al número de personas que el mundo puede sostener. Como vimos en el Capítulo 2, Malthus y otros economistas clásicos reconocieron este hecho hace más de 200 años. Según la ley de rendimientos decrecientes, a medida que se agrega más cantidad de un insumo variable (personas) a un insumo fijo (la tierra o los recursos en general), el rendimiento o producción adicional que resulta al agregar una unidad más del insumo variable debe disminuir en algún momento. Eventualmente, esta disminución hará descender la producción promedio por persona hasta que ésta sea justamente equivalente al nivel de subsistencia. En ese punto, que Malthus reconoció que no constituía una situación agradable, el mundo llega al límite superior del número de personas que puede sostener.

Sin embargo, hay cuatro aspectos de este escenario que merecen mayor aclaración. Primero, el nivel de población óptimo es significativamente menor que el nivel máximo posible. Hay muchas razones para ello, incluido el hecho de que un mundo donde todos apenas logran sobrevivir no es muy atractivo.No obstante, hay mucho menos consenso sobre exactamente cuál es el nivel de población óptimo. Al igual que la belleza o la equidad, depende de la percepción de cada cual y, así, varía de persona en persona. Para muchos, lo óptimo es menos que la población mundial actual. Para otros, el techo está en o sobre este número.

Segundo, el mundo claramente posee suficiente oferta de productos minerales como para sostener a su población actual de más de 6 mil millones, de hecho lo está haciendo. Además, a algún nivel de ingresos, supuestamente podrá soportar los 9 a 10 mil millones de personas previstos para mediados de este siglo, cuando, según los pronósticos actuales, la población mundial llegue a su máximo. Menos claro es cuánto podrán avanzar los países en vías de desarrollo hacia los altos niveles de vida que existen hoy, predominantemente en los países industrializados, a la luz de estas cifras de población y de la disponibilidad a largo plazo de los productos minerales. Esto, sin embargo, es una inquietud más relevante para el nivel de población óptimo que con respecto al techo. Además, aunque el desarrollo económico continúe siendo mal entendido y pareciera depender de la confluencia afortunada de muchos factores, la disponibilidad a largo plazo de los productos minerales no parece tener una importancia significativa. Corea del Sur, Hong Kong, Singapur, Malasia, Chile y, más recientemente, China, han gozado de rápidas tasas de crecimiento económico durante las últimas décadas, en tanto que esto no ha sucedido en muchos otros países en vías de desarrollo –aun cuando, en una creciente economía global, todos tengan un acceso más o menos equivalente a los productos minerales necesarios.

Tercero, tanto los recursos renovables como los no renovables imponen un techo a la población. Efectivamente, es posible que la disponibilidad de tierras, agua y otros recursos renovables restrinja el crecimiento de la población mucho antes de que lo hagan los no renovables, a pesar de la naturaleza finita de estos últimos. En ese caso, la restricción que imponen los minerales sobre la población no es obligatoria y, por ende, es mayor o totalmente irrelevante.

Cuarto, el techo a la población derivado de los productos minerales no es estacionario sino que varía con el tiempo, respondiendo a cambios en su disponibilidad a largo plazo. Si la nueva tecnología sigue contrarrestando los efectos incrementadores de los costos del agotamiento, el techo sobre la población impuesto por los recursos minerales podría aumentar indefinidamente. Por ende, una mayor escasez tendría un efecto contrario.

De modo que la respuesta a la primera pregunta es: sí, la disponibilidad de productos minerales efectivamente impone un límite a la población mundial. Aunque es verdad y revista cierto interés, este hecho tiene una significación limitada en la práctica –en parte porque el techo está cambiando constantemente, en parte porque los recursos renovables tal vez establezcan un tope aún más bajo para la población, en parte porque el techo está sobre el nivel actual de la población y sobre los niveles que probablemente existan en el futuro previsible; y, lo más importante, porque el nivel poblacional deseado u óptimo está muy por debajo del margen y está fijado, en gran medida, por otras consideraciones.

LA AMENAZA DE LA POBLACIÓN

Esto nos lleva a la segunda pregunta: ¿el crecimiento de la población constituye una amenaza significativa a la disponibilidad a largo plazo de productos minerales? Aquí, nuevamente, la sabiduría convencional de que la respuesta es sí, en el mejor de los casos, es parcialmente correcta. Es cierto que, si todo lo demás permanece inalterable, un aumento de la población tenderá a incrementar la demanda de productos minerales y, de este modo, hará que la sociedad alcance su curva de oferta acumulativa a un ritmo más rápido de lo habitual. Sin embargo, como ha argumentado Julian Simon (1981, 1990) en forma tan persistente, las personas influyen no tan solo en la demanda sino también en la oferta de los productos minerales. A mayor cantidad de personas, mayor número de mentes capaces de desarrollar innovaciones y nuevas tecnologías que harán descender la curva de oferta acumulativa a lo largo del tiempo. Que la existencia de más personas eventualmente promueva o impida la disponibilidad a largo plazo de los productos minerales es una pregunta abierta que requiere, para su solución, de evidencia empírica. Simon sostiene que una población creciente aumenta la disponibilidad, gracias a la inventiva e ingenio de las personas; otros son menos optimistas.

Aunque los experimentos controlados, tan comunes en la física, química y otras ciencias naturales, son difíciles de repetir en las Ciencias Sociales, de alguna manera el siglo pasado provee de un laboratorio de pruebas empíricas. Entre 1900 y 2000, la población del mundo aumentó más de tres veces, de menos de 2 mil millones a más de 6 mil millones de personas. Sin embargo, según las medidas antes revisadas, la disponibilidad de recursos no disminuyó significativamente. Esto da poco sustento a la hipótesis de que el crecimiento de la población amenaza seriamente la disponibilidad a largo plazo de los productos minerales. Aunque esto podría cambiar en el futuro, aquellos que abogan por una disminución del crecimiento de la población para preservar la disponibilidad a largo plazo de los productos minerales, al menos tendrían que reflexionar que tal vez –y sin proponérselo– podrían estar promoviendo políticas contraproducentes.

La influencia que tienen las personas sobre la oferta de productos minerales por intermedio de su creatividad e ingenio plantea otros temas de discusión interesantes e incluso paradójicos. Por ejemplo, la pobreza y la discriminación podrían representar un reto mucho más serio a la disponibilidad de productos minerales que la población en sí. El Banco Mundial (2001) estima que la pobreza afecta a una de cada cuatro personas que viven en el mundo en vías de desarrollo, ó 1,2 mil millones de personas, donde pobreza significa vivir con menos de un dólar diario. Sin vivienda, alimentos, atención médica y educación adecuados, estas personas sencillamente no tienen la oportunidad de poder desarrollar las destrezas y habilidades necesarias para promover tecnologías que hagan descender, con el tiempo, la curva de oferta acumulativa, ni aportar socialmente de otras maneras.

Esto refleja una pérdida que empobrece a todo el mundo, tanto industrializado como en desarrollo. ¿Cuántos Leonardo da Vinci, Tomás Edison y Alberto Einstein han vivido y muerto en los arrabales de Calcuta, Río de Janeiro y Nueva York, careciendo de los medios para desarrollar sus extraordinarios talentos? ¿En qué medida podría estar en mejor situación el mundo, en general, sin la pobreza, y hasta dónde, en particular, habría una mayor disponibilidad de productos minerales?

La discriminación plantea un problema igualmente preocupante. En todo el mundo, se deniega a las mujeres y a las minorías la oportunidad de adquirir educación y experiencia necesarias como para ejercer carreras profesionales productivas. Al igual que la pobreza, la discriminación nos afecta a todos, no solo a los que la sufren. Al igual que la pobreza, lo hace de una forma especialmente insidiosa, impidiendo lo potencial, lo que pudo haber sido. Como resultado de ello, aquellos que no están directamente afectados tienen poca o nula idea de la magnitud de las pérdidas sufridas. De hecho, muchos no tienen conciencia de que la pobreza y la discriminación también los empobrece a ellos.

Aunque no hay ninguna manera de evaluar estos costos con precisión, deben ser gigantescos. Entre un tercio y un cuarto de la humanidad actualmente es incapaz de contribuir al bienestar de la sociedad como resultado de la pobreza y la discriminación. Si estas cifras, o cifras aún mayores, también son aplicables al pasado –lo que no es peregrino suponer– sugieren que los beneficios de que goza el mundo a raíz del *stock* de tecnología existente (sin mencionar los provenientes de las artes y las humanidades) podrían ahora ser entre 20 y 40 % mayores. En el caso de los productos minerales, una tal infusión adicional de nueva tecnología habría acentuado, durante el siglo pasado, la tendencia hacia un aumento de la disponibilidad, e incrementado también las perspectivas de continuar dicha tendencia favorable hacia el futuro.

Estos temas sugieren que las frecuentes acusaciones hechas por muchos contra los países industrializados y, en particular, contra los EE.UU. –de que su uso derrochador de los productos minerales es poco equitativo e injusto– puede estar mal encaminado. Aunque el consumo per cápita de productos minerales en China, India, Nigeria y otros países en desarrollo es bastante bajo, la pobreza generalizada de estos países significa que sólo pueden contribuir modestamente a la lucha permanente para contrarrestar los efectos incrementadores de los costos del agotamiento. Sin embargo, los países industrializados, a pesar de su uso aparentemente derrochador, están en una posición mucho más fuerte para fomentar la disponibilidad a largo plazo de los productos minerales. Si el uso irrestricto de productos minerales ayuda también a generar los ingresos que apoyan el desarrollo de nuevas tecnologías tendientes a reducir los costos, podría, de hecho, beneficiar a los países en desarrollo, pese a los reclamos de lo contrario.

Algunos tal vez encuentren esta idea perturbadora. Pero quizás les tranquilice el hecho de que su lógica subyacente también conduce a la conclusión de que los países industrializados debieran ayudar a combatir la pobreza y la discriminación alrededor del mundo, no por caridad –o al menos no exclusivamente por ella–, sino porque hacerlo sirve a sus propios intereses.

Desde luego, la discriminación, la pobreza y el crecimiento de la población tal vez no sean independientes. En particular, el crecimiento de la población tal vez contribuya a la pobreza. Si es así, el argumento de limitar el crecimiento de la población como forma de promover la disponibilidad futura de productos minerales resulte más fácil de plantear. Sin embargo, si el crecimiento de la población no agrava la pobreza, es bastante menos claro que la disponibilidad de productos minerales sea una justificación válida para poner freno al crecimiento de la población.

¿VIVIENDO CON LOS DÍAS CONTADOS?

Entonces, ¿estamos viviendo con los días contados? La civilización moderna, tal como la conocemos, ¿está amenazada por el agotamiento del petróleo y otros productos minerales? ¿Se necesita de políticas públicas drásticas para prevenir un desastre y proporcionar un porvenir seguro para las generaciones futuras? ¿Se necesitan políticas públicas simplemente como medidas de precaución o como seguro contra la posibilidad de que el agotamiento llegue a ser un problema en el futuro?

Los profetas modernos claman sí, y nuevamente sí, a todas estas preguntas. Instan a la sociedad a arrepentirse y enmendarse. A refrenar el crecimiento de la población. A restringir el uso de los recursos minerales. A dominar su pasión por más y mejores cosas. A desviarse del materialismo y adoptar una vida más simple.

Al otro lado del espectro están los antiprofetas. Ellos aseveran que la disponibilidad de los recursos minerales no representa ningún problema, ni ahora ni jamás (o por lo menos hasta donde pueda llegar a interesarnos el futuro). Sostienen que nuestros profetas no son profetas para nada, sino que son como el Pollito Exagerado que corre para todos lados gritando que el cielo se está cayendo.

El público se fascina con sus profetas y antiprofetas. Ellos vienen con mensajes claros y sencillos, pintando el mundo en blanco y negro. Nos dicen lo que necesitamos saber, lo que necesitamos pensar, y lo que debemos o no debemos hacer. Son animosos, apasionados y están tan convencidos de que tienen la razón que es difícil resistirse a su entusiasmo.

Sin embargo, el mundo real no es tan simple. Rara vez es blanco y negro. Más bien está engalanado en tonos de gris y en una gama de colores brillantes. Está lleno de riesgos, incertidumbres, incógnitas y complicaciones –todas características que hacen interesante, apasionante y estimulante la vida, aunque también, a veces, frustrante y preocupante.

Y así es con nuestros temores sobre el agotamiento de los minerales. Durante los próximos 50 a 100 años, hemos encontrado que es poco probable que el agotamiento de estos esté entre los problemas más urgentes que enfrenta la sociedad. Más allá de eso, no obstante, depende de la carrera entre los efectos del agotamiento, que tiende a aumentar los precios, y la nueva tecnología, que tiende a reducirlos. El resultado se verá influenciado por muchos factores y es sencillamente desconocido. Incluso una mayor información geológica respecto de la naturaleza e incidencia de los yacimientos minerales no económicamente rentables que entregara conocimientos útiles, no eliminaría por completo la incertidumbre.

¿Cuál, entonces, es el papel apropiado de las políticas públicas? Respaldándose en el principio de la precaución, algunos afirman que la sociedad debería restringir el uso de los recursos minerales primarios mediante la limitación del crecimiento de la población, la moderación del crecimiento económico y la promoción del reciclaje, la conservación y el mayor uso de los recursos renovables. Sin embargo, hemos visto que dichas políticas no están exentas de riesgos y pueden ser contraproducentes. Aunque no sea así, podrían existir formas más baratas de comprar la misma protección, o incluso más. Estas inquietudes no necesariamente significan que todas las políticas públicas en estas áreas sean indeseables, pero sí apuntan a la necesidad de operar con cautela. Tales iniciativas, advierten, deben ser escudriñadas cuidadosamente.

Mucho más claro es el argumento a favor de las políticas que internalizan los costos medioambientales y otros de tipo social incurridos en la producción y uso de los productos minerales. Con el tiempo, los costos medioambientales están dando cuenta de una proporción creciente de los costos totales de producir y utilizar productos minerales. Buenas políticas públicas que obligarán a los productores y consumidores a pagar esos costos podrían influir favorablemente en la carrera entre el agotamiento y la tecnología, al proveer fuertes incentivos a los productores y consumidores para reducir dichos costos. En todo caso, tales políticas son deseables por otras razones.

Sin embargo, la internalización de todos los costos sociales de la producción y uso de minerales no será fácil. Un reto importante es el desarrollo de herramientas confiables y aceptables para medir los costos externos, especialmente a la luz de las grandes diferencias entre las personas respecto al valor que otorgan a las culturas indígenas, la biodiversidad, a un clima mundial estable y a otros activos medioambientales. Aunque, en las últimas décadas, se han logrado muchos avances en este sentido, es necesario que hayan más. Importante también es el fortalecimiento de las instituciones y de la intención política de proporcionar a los gobiernos la voluntad y los medios para internalizar los costos sociales una vez que estén adecuadamente identificados y medidos. Ello puede resultar difícil, como lo ilustran claramente el recalentamiento atmosférico y la minería artesanal.

También puede esgrimirse un sólido argumento en favor de políticas públicas que promuevan el desarrollo de nuevas tecnologías para contrarrestar los efectos incrementadores de los costos del agotamiento. Dicha tecnología es un arma importante en el arsenal que la sociedad tiene disponible para mantener a raya la amenaza del agotamiento de minerales. Dado que muchos de los beneficios que fluyen de la nueva tecnología no pueden ser captados plenamente por las empresas y otras organizaciones responsables de su generación, se requiere del apoyo público para asegurar que haya suficiente financiamiento para esta gestión. Por supuesto, esto es válido no sólo para la investigación y desarrollo en torno a la producción y uso de minerales, sino, en general, para la mayor parte de la investigación y el desarrollo. Y, desde luego, en el sector de minerales y otros campos, hay muchos gobiernos que sí respaldan la investigación y desarrollo.

El que sea o no deseable contar con mayor financiamiento público para desarrollar nuevas tecnologías en el sector de minerales es un tema importante que requiere de mayor atención. Muchos científicos e ingenieros que han dedicado sus vidas profesionales a la geología, la ingeniería de minas y del petróleo, la metalurgia y otros campos relacionados, sostienen la existencia de muchas nuevas tecnologías en el horizonte, las que pagarían dividendos generosos a la sociedad si sólo se realizara la inversión necesaria en investigación y desarrollo.[6]

En un sentido importante, estamos viviendo con los días contados. El mundo está en transición. Esto no tiene nada de nuevo y, de hecho, ha sido así desde la creación de la Tierra, pero lo que sí es nuevo es la velocidad del cambio. Hace un siglo, dependíamos fuertemente de la madera y del carbón para calentar nuestros hogares e impulsar la economía. Hoy usamos mucho más petróleo, gas natural y energía nuclear. En un siglo más, sin duda la mezcla otra vez será distinta. Aquellos que sostienen que debe disminuir nuestra dependencia del petróleo convencional y los ricos yacimientos minerales –yacimientos de cobre felizmente dotados de leyes de 0,8 % y más–, probablemente tengan razón. Pero esto no es especialmente interesante, ni relevante, para el *desarrollo sustentable* y el bienestar de las generaciones futuras.

Lo importante es si acaso la sociedad del futuro podrá satisfacer con otros recursos las necesidades que están siendo satisfechas actualmente a través de estos yacimientos minerales de alta calidad, a precios reales cercanos o incluso menores que los actuales. Los recursos minerales no renovables dejan absolutamente en claro que un mundo sin cambio, aunque fuera deseable, sencillamente no es sustentable. La explotación actual de recursos minerales de alta calidad entrega a la sociedad la oportunidad de desarrollar las nuevas tecnologías que le permitirán satisfacer sus necesidades futuras en base a otros recursos, sin despojar el medio ambiente ni destruir otros activos sociales importantes.

Aunque la Madre Naturaleza puede definir la naturaleza del desafío –las reglas del juego, si se prefiere– ha sido bastante generosa. De manera que será la humanidad la que determinará mayormente si el resultado es o no favorable. Si no enfrentamos el reto, la amenaza del agotamiento de minerales pasará a ser más seria y, en definitiva, la escasez podría imponer una restricción significativa al desarrollo económico y al bienestar de las generaciones futuras. Si enfrentamos el desafío, la amenaza del agotamiento de minerales se alejará y los productos minerales estarán cada vez más disponibles. En resumen, el futuro está en nuestras manos para apoderarnos de él y darle forma.

---

6 Mientras escribía estas líneas, el National Research Council anunció la completación de un estudio realizado por un panel de científicos que examinaron los resultados de los 13 mil millones de dólares que el Departamento de Energía de EE.UU. ha gastado desde 1978 en formas más eficientes de utilización de la energía y quema de combustibles fósiles. El estudio (National Research Council 2001) encontró que la inversión de 13 mil millones de dólares generó alrededor de 40 mil millones de dólares en beneficios económicos. Es interesante que casi tres cuartos de los beneficios provinieron de tres programas de investigación que, en su conjunto, costaron apenas 11 millones de dólares. Al parecer, la investigación es como la exploración. Unos pocos proyectos altamente exitosos compensan con creces los numerosos esfuerzos menos exitosos.
Para otro estudio de relevancia reciente, con el cual estuve asociado, ver National Research Council 2002. Esta investigación se centra mayormente en los minerales no combustibles y también concluye que los beneficios para la sociedad, de llevar a cabo investigación y desarrollo adicionales sobre formas de encontrar y elaborar productos minerales, superan con creces los costos involucrados.

REFERENCIAS

Ackerman, F. (1997). **Why Do We Recycle? Markets, Values, and Public Policy.** Washington, DC, Island Press.

Banco Mundial (2001). **World Development Report 2000/2001.** www.worldbank.org.

Daly, H. (1996). **Beyond Growth: The Economics of Sustainable Development.** Boston, Beacon Press.

Dasgupta, P. and G. Heal (1979). **Economic Theory and Exhaustible Resources.** Cambridge, Cambridge University Press.

Hartwick, J. M. (1977). "Intergenerational equity and the investing of rents from exhaustible resources". **American Economic Review** 67: 972-974.

Kolstad, C. D. (1996). "Learning and stock effects in environmental regulation: The case of greenhouse gas emissions". **Journal of Environmental Economics and Management** 31: 1-18.

National Research Council, Board on Energy and Environment Systems (2001). **Energy Research at DOE: Was It Worth It?** Washington, DC, National Academy Press.

National Research Council, Board on Earth Sciences and Resources (2002). **Evolutionary and Revolutionary Technologies for Mining**. Washington, DC, National Academy Press.

Neumayer, E. (2000). "Scarce or abundant? The economics of natural resource availability". **Journal of Economic Surveys** 14(3): 307-335.

Nordhaus, W. D. and E. C. Kokkelenberg, eds. (1999). **Nature's Numbers Expanding the National Economic Accounts to Include the Environment.** Washington, DC, National Academy Press for the National Research Council.

Ruth, M. (1995). "Thermodynamic implications for natural resource extraction and technical change in U.S. copper mining". **Environmental and Resource Economics** 6(2): 187-206.

Solow, R. M. (1974). "Intergenerational equity and exhaustible resources". **Review of Economic Studies, Symposium on the Economics of Exhaustible Resources:** 29-45.

Toman, M. A. (1992). The difficulty in defining sustainability. **Global Development and the Environment: Perspectives on Sustainability**. J. Darmstadter. Washington, DC, Resources for the Future.

World Commission on Environment and Development (1987). **Our Common Future**. Oxford, Oxford University Press.

ANEXO:

PRECIOS REALES DE PRODUCTOS MINERALES SELECCIONADOS, 1870-1997

POR PETER HOWIE

Las cifras presentadas a continuación muestran los precios del aluminio, cobre, lingotes de hierro, mineral de hierro, níquel, plomo, plata, zinc, petróleo, gas natural y carbón bituminoso, deflactados por el índice de precios al productor de EE.UU. para el período comprendido entre 1870 y 1997. Constituyen una actualización de los datos de precios que Robert S. Manthy entregara en su libro de 1978, *Natural Resource Commodities–A Century of Statistics*. Este libro, a su vez, actualiza el texto de 1962 de Neal Potter y Francis T. Christy, Jr., *Trends en Natural Resource Commodities*. Ambos volúmenes, publicados por Johns Hopkins University Press para Resources for the Future, contienen una abundancia de otros datos sobre producción, consumo, comercialización y empleo referido a minerales.

Es importante señalar que los precios que aparecen se refieren a Estados Unidos. Muchos productos minerales se venden en los mercados mundiales y, así, las tendencias de los precios en EE.UU. siguen de cerca los precios en el extranjero. Sin embargo, no siempre es así. Por ejemplo, el precio del mineral de hierro señalado es para mineral de hierro proveniente de la cordillera de Mesabi en el norte de Minnesota, vendido en puertos del lago Erie. Este precio no refleja cabalmente la disminución durante las últimas décadas en los precios del mineral de hierro procedente de Brasil y Australia, que son los mayores productores y exportadores de este mineral en la actualidad.

Las fuentes de los datos para las siguientes cifras identifican la naturaleza de los precios citados junto con sus fuentes originales.

Peter Howie es un profesor auxiliar invitado en el Departamento de Economía de la Universidad de Montana.

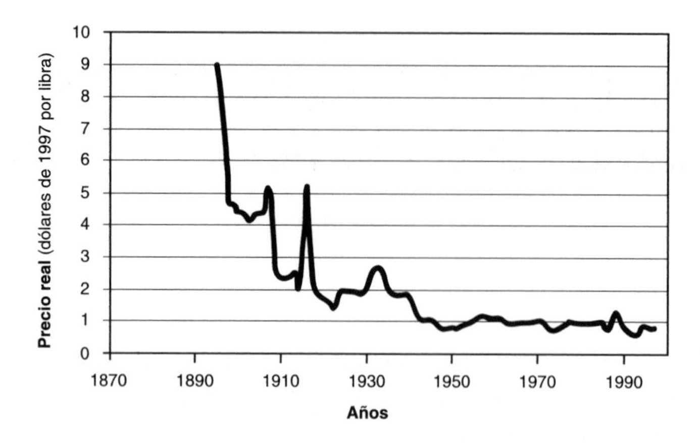

ALUMINIO

PRECIOS DE NUEVA YORK Y PRECIO PROMEDIO DE PRODUCTORES PARA LINGOTES, 1895-1997

Fuentes:

Datos de 1895 a 1957 tomados de N. Potter y F.T. Christy, Jr., *Trends in Natural Resource Commodities: Statistics of Prices, Output, Consumption, Foreign Trade, and Employment in the United States, 1870-1957* (Baltimore, MD: Johns Hopkins University Press para Resources for the Future, 1962).

Datos de 1958 a 1983 tomados de la publicación anual *Metal Statistics* (Nueva York: American Metal Market).

Datos de 1984 a 1991 tomados del *ABMS Non-Ferrous Metals Data Yearbook* (Chatham, NJ: American Bureau of Metal Statistics).

Datos de 1992 a 1997 tomados de la publicación anual *Metal Statistics* (Nueva York: American Metal Market).

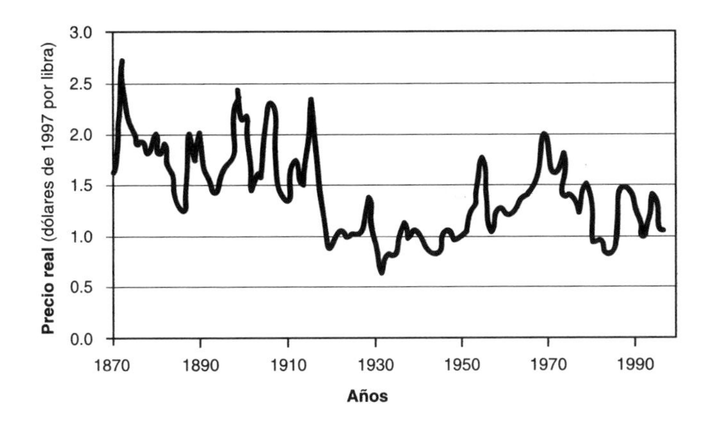

COBRE
PRECIOS EN EE.UU. DE LINGOTES DE COBRE Y COBRE ELECTROLÍTICO PUESTOS EN REFINERÍA, 1870-1997

Fuentes:

Datos de 1870 a 1957 tomados de N. Potter y F.T. Christy, Jr., *Trends in Natural Resource Commodities: Statistics of Prices, Output, Consumption, Foreign Trade, and Employment in the United States, 1870-1957* (Baltimore, MD: Johns Hopkins University Press para Resources for the Future, 1962).

Datos de 1958 a 1973 tomados de R.S. Manthey, *Natural Resource Commodities – A Century of Statistics: Prices, Output, Consumption, Foreign Trade, and Employment in the United States, 1870-1973* (Baltimore, MD: Johns Hopkins University Press para Resources for the Future, 1978).

Datos de 1974 a 1997 tomados del *ABMS Non-Ferrous Metals Data Yearbook* (Chatham, NJ: American Bureau of Metal Statistics).

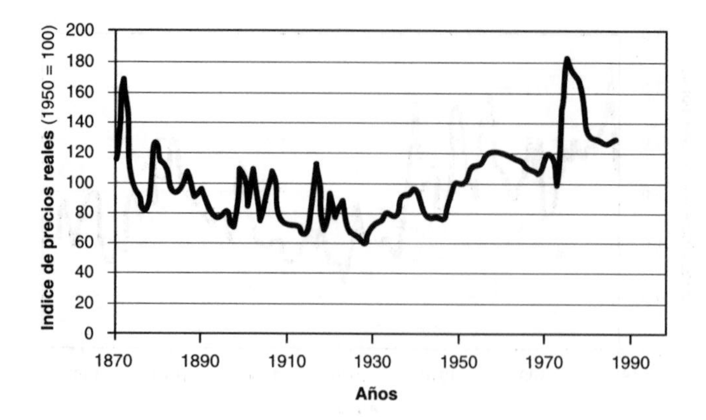

LINGOTES DE HIERRO
VALOR PROMEDIO EN EE.UU., 1870-1986

Fuentes:

Datos de 1870 a 1957 tomados de N. Potter y F.T. Christy, Jr., *Trends in Natural Resource Commodities: Statistics of Prices, Output, Consumption, Foreign Trade, and Employment in the United States, 1870-1957* (Baltimore, MD: Johns Hopkins University Press para Resources for the Future, 1962).

Datos de 1958 a 1973 tomados de R.S. Manthey, *Natural Resource Commodities – A Century of Statistics: Prices, Output, Consumption, Foreign Trade, and Employment in the United States, 1870-1973* (Baltimore, MD: Johns Hopkins University Press para Resources for the Future, 1978).

Datos de 1974 a 1986 tomados de la publicación mensual del Bureau of Labor Statistics, *Wholesale Prices and Price Indexes.*

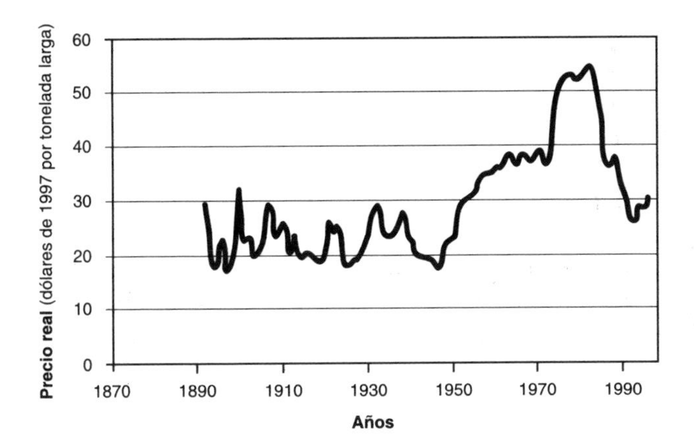

MINERAL DE HIERRO

PRECIOS DE MINERAL DE HIERRO DE MESABI, NO PROCESADO POR EL SISTEMA BESSEMER, PUESTO EN PUERTOS DEL LAGO ERIE, 1895-1997

Fuentes:

Datos de 1895 a 1957 tomados de N. Potter y F.T. Christy, Jr., *Trends in Natural Resource Commodities: Statistics of Prices, Output, Consumption, Foreign Trade, and Employment in the United States, 1870-1957* (Baltimore, MD: Johns Hopkins University Press para Resources for the Future, 1962).

Datos de 1958 a 1997 tomados de Salient Iron Ore Statistics (valor promedio en mina) en el *Mineral Yearbook* del U.S. Geological Survey (Washington, DC: U.S. Government Printing Office).

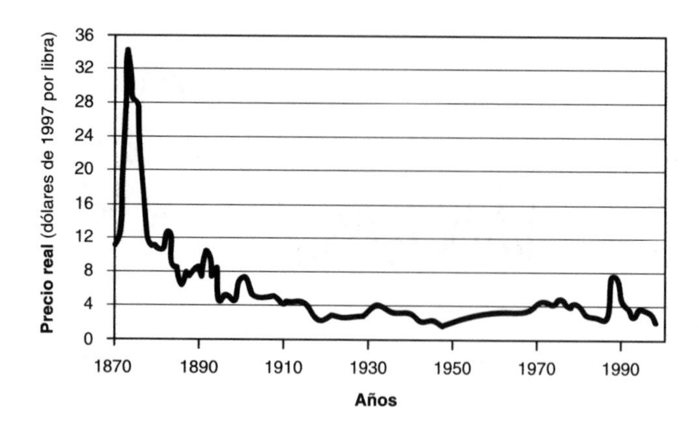

NÍQUEL

VALOR UNITARIO PROMEDIO IMPORTADO PARA EL CONSUMO, 1870-1997

Fuentes:

Datos de 1870 a 1957 tomados de N. Potter y F.T. Christy, Jr., *Trends in Natural Resource Commodities: Statistics of Prices, Output, Consumption, Foreign Trade, and Employment in the United States, 1870-1957* (Baltimore, MD: Johns Hopkins University Press para Resources for the Future, 1962).

Datos de 1958 a 1990 tomados del *Statistical Compendium* at h del U.S. Geological Survey de 1993 (acceso conseguido el 23 de septiembre de 2002).

Datos de 1991 a 1997 tomados del *Mineral Yearbook* del U.S. Geological Survey (Washington, DC: U.S. Government Printing Office).

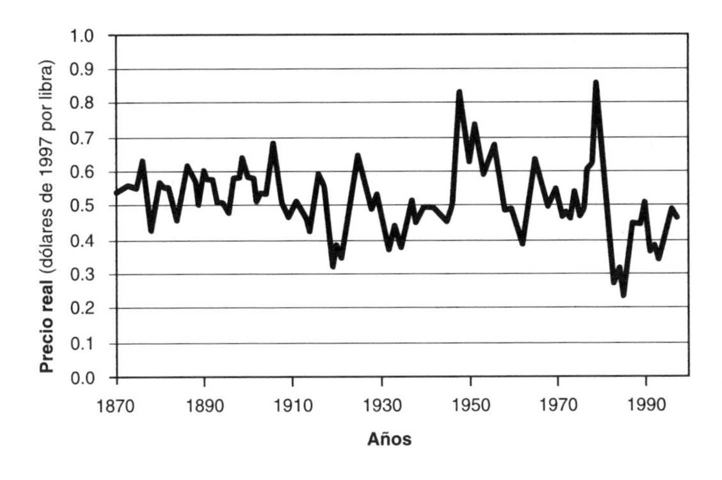

PLOMO
PRECIO PROMEDIO PARA EE.UU. EN NUEVA YORK, 1870-1997

Fuentes:

Datos de 1870 a 1957 tomados de N. Potter y F.T. Christy, Jr., *Trends in Natural Resource Commodities: Statistics of Prices, Output, Consumption, Foreign Trade, and Employment in the United States, 1870-1957* (Baltimore, MD: Johns Hopkins University Press para Resources for the Future, 1962).

Datos de 1958 a 1973 tomados de R.S. Manthey, *Natural Resource Commodities – A Century of Statistics: Prices, Output, Consumption, Foreign Trade, and Employment in the United States, 1870-1973* (Baltimore, MD: Johns Hopkins University Press para Resources for the Future, 1978).

Datos de 1974 a 1987 tomados del precio al productor principal de EE.UU. en el *ABMS Non-Ferrous Metals Data Yearbook* (Chatham, NJ: American Bureau of Metal Statistics).

Datos de 1988 a 1997 tomados del precio al productor principal de Norteamérica en el *ABMS Non-Ferrous Metals Data Yearbook* (Chatham, NJ: American Bureau of Metal Statistics).
Precio real (dólares de 1997 por onza troy)

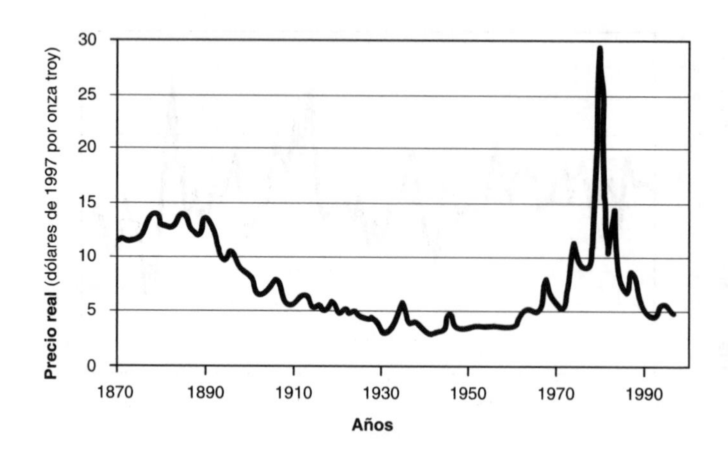

PLATA
PRECIO DE NUEVA YORK, 1870-1997

Fuentes:

Datos de 1870 a 1957 tomados del U.S. Bureau of the Census, *Historical Statistics of the United States, Colonial Times to 1957* (Washington, DC: U.S. Government Printing Office, 1960).

Datos de 1958 a 1997 tomados de la publicación anual *Metal Statistics* (Nueva York: American Metal Market).

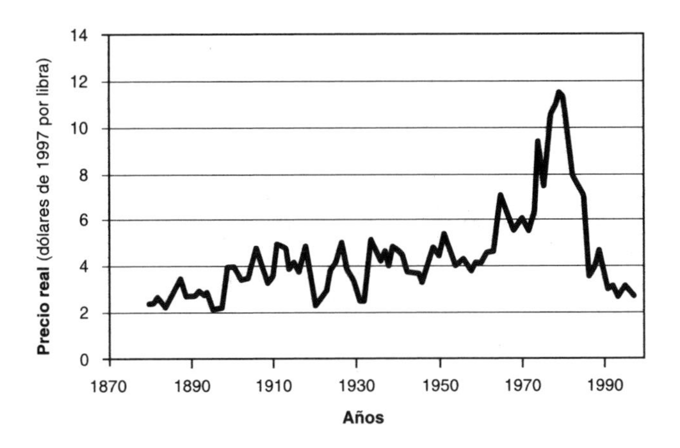

ESTAÑO
PRECIOS STRAITS EN NUEVA YORK, 1880-1997

Fuente:

Datos de 1880 a 1997 tomados de la publicación anual *Metal Statistics* (Nueva York: American Metal Market).

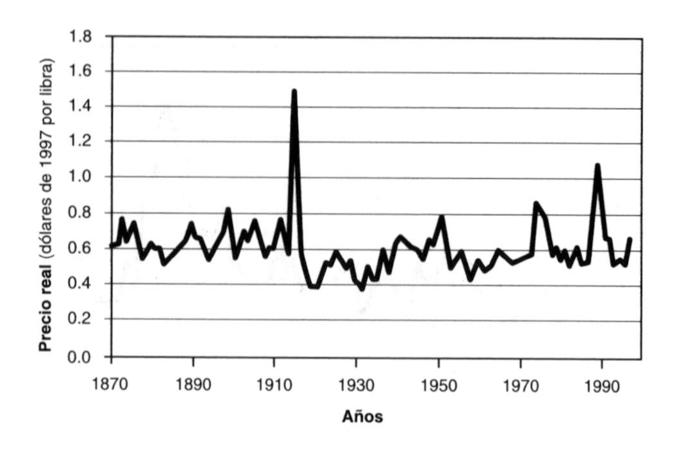

ZINC

LINGOTE DEL OESTE DE PRIMERA ENTREGADO EN EE.UU., 1870-1997

Fuentes:

Datos de 1870 a 1957 tomados de N. Potter y F.T. Christy, Jr., *Trends in Natural Resource Commodities: Statistics of Prices, Output, Consumption, Foreign Trade, and Employment in the United States, 1870-1957* (Baltimore, MD: Johns Hopkins University Press para Resources for the Future, 1962).

Datos de 1958 a 1973 tomados de R.S. Manthey, *Natural Resource Commodities – A Century of Statistics: Prices, Output, Consumption, Foreign Trade, and Employment in the United States, 1870-1973* (Baltimore, MD: Johns Hopkins University Press para Resources for the Future, 1978).

Datos de 1974 a 1990 tomados de la publicación anual *Metal Statistics* (Nueva York: American Metal Market)

Datos de 1991 basados en un promedio de cotizaciones de la Bolsa de Metales de Londres.

Datos de 1992 a 1997 tomados del precio spot al productor de EE.UU. para el zinc y el lingote del oeste de primera en la publicación anual *Metal Statistics* (Nueva York: American Metal Market)

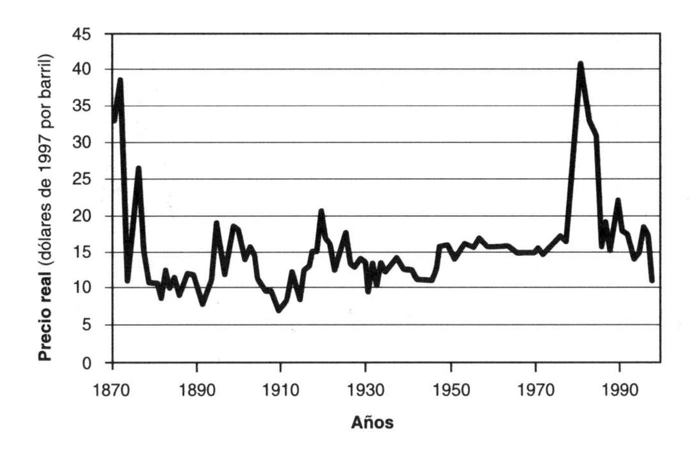

PETRÓLEO
VALOR PROMEDIO EN EE.UU., 1870-1997

Fuentes:

Datos de 1870 a 1957 tomados de N. Potter y F.T. Christy, Jr., *Trends in Natural Resource Commodities: Statistics of Prices, Output, Consumption, Foreign Trade, and Employment in the United States, 1870-1957* (Baltimore, MD: Johns Hopkins University Press para Resources for the Future, 1962).

Datos de 1958 a 1973 tomados de R.S. Manthey, *Natural Resource Commodities – A Century of Statistics: Prices, Output, Consumption, Foreign Trade, and Employment in the United States, 1870-1973* (Baltimore, MD: Johns Hopkins University Press para Resources for the Future, 1978).

Datos de 1974 a 1997 tomados de la publicación semestral *Basic Petroleum Data Book* (Washington, DC: American Petroleum Institute)

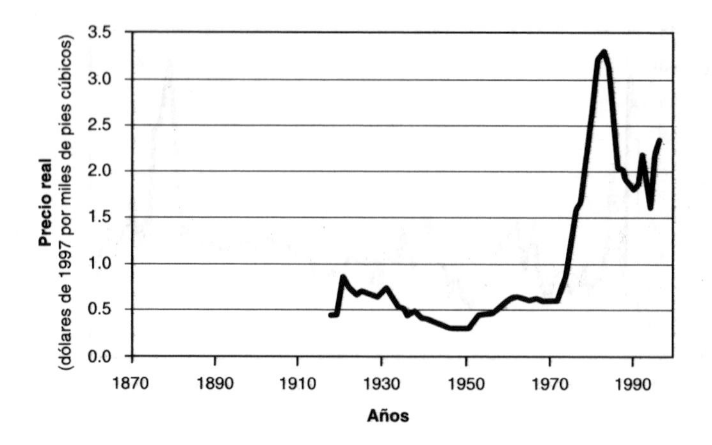

GAS NATURAL

VALOR PROMEDIO EN EE.UU., PUESTO EN PUNTO DE PRODUCCIÓN, 1919-1997

Fuentes:

Datos de 1919 a 1957 tomados de N. Potter y F.T. Christy, Jr., *Trends in Natural Resource Commodities: Statistics of Prices, Output, Consumption, Foreign Trade, and Employment in the United States, 1870-1957* (Baltimore, MD: Johns Hopkins University Press para Resources for the Future, 1962).

Datos de 1958 a 1973 tomados de R.S. Manthey, *Natural Resource Commodities – A Century of Statistics: Prices, Output, Consumption, Foreign Trade, and Employment in the United States, 1870-1973* (Baltimore, MD: Johns Hopkins University Press para Resources for the Future, 1978).

Datos de 1974 a 1997 tomados del *Historical Natural Gas Annual* (Washington, DC: American Petroleum Institute)

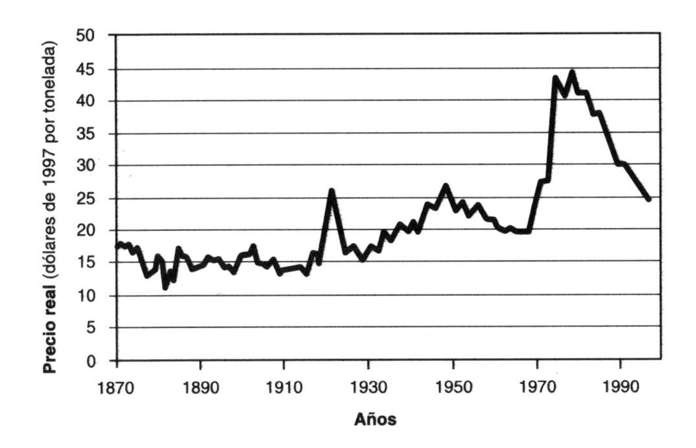

CARBÓN BITUMINOSO
VALOR PROMEDIO DE EE.UU. PUESTO EN MINA, 1870-1997

Fuentes:

Datos de 1870 a 1957 tomados de N. Potter y F.T. Christy, Jr., *Trends in Natural Resource Commodities: Statistics of Prices, Output, Consumption, Foreign Trade, and Employment in the United States, 1870-1957* (Baltimore, MD: Johns Hopkins University Press para Resources for the Future, 1962).

Datos de 1958 a 1973 tomados de R.S. Manthey, *Natural Resource Commodities – A Century of Statistics: Prices, Output, Consumption, Foreign Trade, and Employment in the United States, 1870-1973* (Baltimore, MD: Johns Hopkins University Press para Resources for the Future, 1978).

Datos de 1974 a 1997 tomados de la Energy Information Administration, *Annual Energy Review* (Washington, DC: American Petroleum Institute)

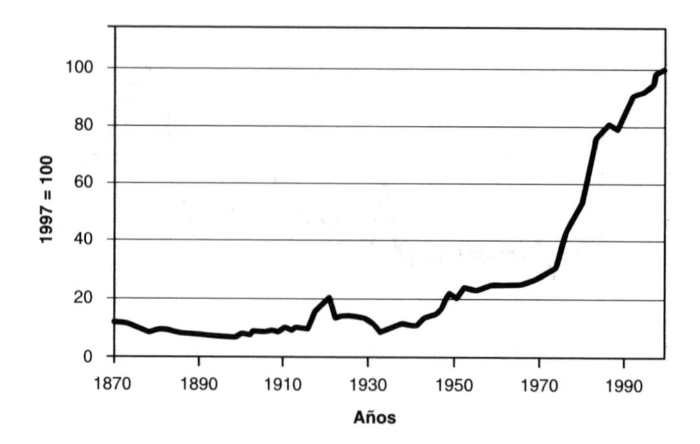

TODOS LOS PRODUCTOS
ÍNDICE DE PRECIOS AL CONSUMIDOR, 1870-1997

Fuentes:

Datos de 1870 a 1957 tomados de N. Potter y F.T. Christy, Jr., *Trends in Natural Resource Commodities: Statistics of Prices, Output, Consumption, Foreign Trade, and Employment in the United States, 1870-1957* (Baltimore, MD: Johns Hopkins University Press para Resources for the Future, 1962).

Datos de 1958 a 1973 tomados de R.S. Manthey, *Natural Resource Commodities – A Century of Statistics: Prices, Output, Consumption, Foreign Trade, and Employment in the United States, 1870-1973* (Baltimore, MD: Johns Hopkins University Press para Resources for the Future, 1978).

Datos de 1974 a 1997 tomados de la publicación anual del U.S. Bureau of the Census, *Statistical Abstracts of the United States* (Washington, DC: U.S. Government Printing Office).

GLOSARIO

Agotamiento: El uso de yacimientos minerales de alta calidad y bajo costo que, a lo largo del tiempo, requiere que la sociedad explote yacimientos de calidad inferior.

Agotamiento de minerales: Ver *agotamiento.*

Ajuste por inflación: Restar de la tendencia de los precios de un bien o servicio en particular la tendencia promedio de los precios para todos los productos (inflación). Para este fin se utilizan deflactores tales como el índice de precios al productor, el deflactor del producto interno bruto (PIB) y el índice de precios al consumidor.

Beneficio marginal: El beneficio de producir una unidad adicional de un bien.

Beneficios externos: Beneficios asociados con la producción y uso de un bien o alguna otra actividad que no son captados por los productores y los consumidores. Un ejemplo podrían ser las actividades de investigación y desarrollo realizadas por una compañía minera sobre la rehabilitación de yacimientos, que produce información útil para otras compañías mineras también. Ver Capítulo 6.

Bienes públicos: Bienes, tales como la defensa nacional, que al proveerse están a disposición de todos para su consumo. Ver Capítulo 6.

Bienestar: La situación o bienestar de la sociedad medida por el ingreso per cápita real u otros indicadores. (P.ej., mortalidad infantil, nivel educacional, distribución del ingreso y longevidad)

Bienestar social: Ver *bienestar.*

Caja de McKelvey: Una figura bidimensional propuesta por el geólogo Vincent McKelvey, que distingue entre recursos y reservas sobre la base de condiciones económicas y geológicas. Ver Capítulo 3.

Combustibles: Productos minerales, tales como petróleo, gas natural, carbón y uranio, que son valorados por su capacidad de producir energía útil. Ver Capítulo 1 y Recuadro 1-1.

Contabilidad verde (green accounting): Cuentas de ingresos nacionales y de productos que toman en consideración la disponibilidad y uso del medio ambiente y otros recursos naturales. Ver Capítulo 7.

Corto plazo: Cualquier período de tiempo que sea menor que el largo plazo.

Costo de oportunidad: El valor de lo que debe sacrificarse para obtener un bien. Por ejemplo, el costo de oportunidad para un medio ambiente más limpio puede ser precios algo más altos en el caso de los productos minerales. Ver Capítulo 1.

Costo marginal: El costo de producir una unidad adicional de un bien.

Costo promedio: El costo total de producción de un bien dividido por el número de unidades producidas.

Costo social: El costo total para la sociedad de producir y utilizar un bien, que incluye los costos internalizados o privados (aquellos soportados por los productores y los consumidores) y los eventuales costos externos (aquellos soportados por terceros).

Costos de uso: Valor presente de las utilidades futuras que se perderán al producir una unidad adicional de un producto mineral hoy. La disminución de las utilidades futuras surge porque el aumento de la producción hoy deja en la Tierra menos yacimientos minerales, o bien yacimientos de inferior calidad, para su explotación futura. Los costos de uso también se llaman renta de Hotelling y renta de escasez. Ver Capítulos 2 y 3 y Recuadro 3-5.

Costos externos: Costos asociados con la producción y uso de un bien o alguna otra actividad que no son pagados por los productores y los consumidores, de modo que son soportados por terceros. Un ejemplo podría ser la contaminación de un río por una operación minera, cuyos costos son soportados por aquellos que usan el río aguas abajo de la mina. Ver Capítulo 6.

Costos internalizados: Los costos de producir y utilizar un bien que son pagados por los productores y a su vez por los consumidores. A diferencia de los costos externos, los costos internalizados, que también se llaman costos privados, no son soportados por terceros. Ver Capítulo 6.

Costos monetarios (Cash costs): En la industria minera, los costos monetarios son los costos de producción menos los costos de capital (específicamente, depreciación, amortización e intereses sobre la deuda externa). Los costos monetarios se asemejan a lo que los economistas llaman costos variables, que son los costos que aumentan o disminuyen con el rendimiento. (P.ej., costos de mano de obra y energía)

Costos privados: Ver *costos internalizados.*

Costos y precios nominales: Costos y precios (en dólares de EE.UU. u otra moneda) que no han sido ajustados para reflejar la inflación. Ver Capítulo 3 y Recuadro 3-4.

Costos y precios reales: Costos y precios en dólares de EE.UU. u otra moneda que han sido ajustados para reflejar la inflación. Ver Capítulo 3 y Recuadro 3-4.

Curva de la demanda: Línea que muestra cuánto de un producto demandarán los usuarios a medida que varía su precio, suponiendo que todos los demás determinantes de la demanda, tales como el precio de sustitutos, permanezcan fijos en algún nivel específico.

Curva de la oferta: Una línea que muestra cuánto de un producto suministrarán los productores durante un año u otro período de tiempo a medida que varía su precio, suponiendo que todos los demás determinantes de la oferta, tales como los costos de mano de obra, permanecen fijos en algún nivel específico. Ver Capítulo 5.

Déficit: El exceso de la demanda sobre la oferta disponible al precio de mercado vigente, o el equilibrio de la oferta y la demanda a través de alzas en el precio de mercado, dejando a muchos consumidores tradicionales sin poder costear el producto. Un déficit creciente implica un aumento de la escasez y una disminución de la disponibilidad. Ver Capítulo 1.

Desarrollo sustentable: Comportamiento que no impide que las generaciones futuras gocen de un nivel de vida comparable con la actual. Ver Capítulo 7.

Disponibilidad: La renuncia en términos de una canasta representativa de bienes y servicios que debe sacrificarse para obtener una unidad adicional de un producto. Cuando la canasta de bienes y servicios está creciendo, el producto se está tornando menos disponible o más escaso. Cuando un producto requiere una canasta más grande que otro, está menos disponible o más escaso. Ver Capítulo 1.

Escasez: Déficit o falta de disponibilidad. Por ejemplo, el aumento de los precios reales de un producto constituye una indicación de escasez creciente. Ver Capítulo 1.

Externalidades: Costos externos, beneficios externos, o ambos. Ver Capítulo 6.

Impuesto pigoviano: Un arancel impuesto por unidad de contaminación que se fija en forma equivalente al daño que una unidad adicional o marginal de contaminación impone sobre el medio ambiente. De este modo, obliga a las empresas y otras entidades contaminantes a pagar los costos sociales totales de su contaminación. El nombre deriva del economista británico Arthur Pigou.

Intensidad de uso: La cantidad de un producto mineral consumido, medida normalmente en toneladas, barriles u otras unidades físicas, dividida por el producto interno bruto u otras medidas del ingreso, normalmente medidas en dólares reales. Ver Capítulo 5.

Largo plazo: Tradicionalmente, largo plazo (o período largo) en economía significa varios años o más, un período que es suficiente para la construcción de nuevas capacidades o el retiro de capacidades que dejaron de ser necesarias. En este estudio, ocasionalmente se utiliza largo plazo en este sentido. Sin embargo, con mayor frecuencia se refiere a un período de 50 años o más.

Mecanismos oficiales de control: Requerimientos gubernamentales destinados a mejorar el medio ambiente u otros propósitos que prescriben de qué manera deben operar las empresas. Ver Capítulo 6.

Metales y aleaciones de metales: Un subconjunto de productos minerales usados principalmente como materiales. Los metales tales como cobre, plomo, zinc, hierro y aluminio son elementos. En su mayor parte son sólidos a temperaturas corrientes, opacos y buenos conductores de electricidad y calor. Las aleaciones son una combinación de dos o más metales o de un metal y algunos no metales tales como el carbono. Por ejemplo, el bronce es una aleación de cobre con estaño. El acero es una aleación de hierro, carbono y posiblemente otros metales también. Ver Capítulo 1 y Recuadro 1-1.

Minería a pequeña escala: La minería artesanal más la minería a una escala algo mayor, que incluye operaciones modestas que utilizan algunos equipos mecanizados. Ver Capítulo 6 y Recuadro 6-3.

Minería artesanal: Minería a muy pequeña escala utilizando equipo simple y no mecanizado. A menudo es ilegal y tiende a ser ineficiente, peligrosa y altamente contaminante. Ver Capítulo 6 y Recuadro 6-3.

Modelo econométrico: Una o más ecuaciones derivadas en base al razonamiento económico cuyos parámetros desconocidos son estimados mediante diversas técnicas estadísticas. Ver Capítulo 4.

No metales: Productos minerales que no son combustibles, metales o aleaciones de metales. Incluyen caliza, arena y grava, fosfato natural y azufre. Se utilizan principalmente en la construcción, aplicaciones industriales y producción de fertilizantes. Ver Capítulo 1 y Recuadro 1-1.

Oferta acumulativa: Curva que muestra cuánto podrán suministrar los productores de un producto mineral –como cobre o petróleo– a lo largo del tiempo a diversos precios, suponiendo que la tecnología y todos los demás determinantes de la oferta aparte del precio permanecen fijos a ciertos niveles específicos. Es aplicable sólo a los recursos no renovables y es diferente a la curva de oferta tradicional. Esta última muestra cuánto podrán suministrar los productores de un bien a diversos precios durante un año o algún otro período de tiempo.

Paradigma de los costos de oportunidad: Visión del agotamiento de minerales basado en lo que la sociedad debe sacrificar en términos de otros bienes y servicios (los costos de oportunidad) para obtener más cantidad de un producto mineral. Por ejemplo, cuando el precio real del petróleo está cayendo, la sociedad debe sacrificar menos de otros bienes y servicios para obtener un barril adicional a lo largo del tiempo. Esto, según el paradigma de los costos de oportunidad, significa que el petróleo se está tornando más disponible o menos escaso. Ver Capítulos 5 y 7.

Paradigma de stocks *fijos:* Una visión del agotamiento de minerales que supone que la oferta de cualquier producto mineral es una cantidad fija o dada (un *stock* fijo). El agotamiento ocurre a medida que la demanda, que es una variable de flujo que continúa año tras año, consume la oferta disponible. Ver Capítulos 5 y 7.

Parámetro: Una constante desconocida en la ecuación o ecuaciones de un modelo econométrico que puede estimarse por medio de diversas técnicas estadísticas. Ver Capítulo 4.

Producción primaria: La elaboración de productos minerales desde yacimientos minerales subsuperficiales. Ver Capítulo 3 y Recuadro 3-1.

Producción secundaria: La elaboración de productos minerales, principalmente metales, en base al reciclaje de chatarra. Ver Capítulo 3 y Recuadro 3-1.

Productos minerales: Productos finales (combustibles, metales y no metales) producidos en base a recursos minerales y al reciclaje de chatarra. Ver Capítulo 1 y Recuadro 1-1.

Recursos: La totalidad de un producto mineral contenido en yacimientos (1) que son conocidos actualmente o se espera que sean descubiertos bajo condiciones prescritas, y (2) que son actualmente económicos de explotar o se espera que sean económicos de explotar bajo condiciones prescritas. Ver Capítulo 3 y Figura 3-1.

Recursos minerales: Los yacimientos subsuperficiales desde los cuales se producen metales, combustibles y otros productos minerales. Ver Capítulo 1.

Recursos no renovables: Recursos, tales como yacimientos de petróleo y cobre, cuya formación requiere de millones de años y, por ende, no pueden regenerarse dentro de una escala de tiempo relevante para la humanidad. Ver Capítulos 1 y 7.

Recursos renovables: Recursos, tales como los árboles y los peces, que pueden regenerarse dentro de un período de tiempo relativamente breve (dentro de años o décadas). Ver Capítulos 1 y 7.

Recursos totales: La totalidad de un producto mineral contenido en la corteza terrestre. Los recursos base para un producto mineral abarcan sus recursos y reservas. Ver Capítulo 3 y Figura 3-1.

Renta: Cualquier pago efectuado al propietario de un factor de producción (mano de obra, terreno, recursos minerales) por encima de lo necesario para que el propietario ofrezca el factor en el mercado. En el caso de un factor de producción que ya está ofrecido en el mercado, la renta es cualquier pago por encima del necesario para mantener el factor en el mercado. Ver Capítulos 2 y 3 y el Recuadro 3-5. Ver también *renta ricardiana.*

Renta de escasez: Ver *costos de uso.*

Renta de Hotelling: Ver *costo de uso.*

Renta económica: Ver *renta.*

Renta ricardiana: Pago a los propietarios de tierras o yacimientos minerales por encima de lo necesario para inducirlos a ofrecer sus tierras o yacimientos al mercado. La renta ricardiana surge porque muchas tierras y muchos yacimientos minerales son de calidad más alta (y por ende de costos más bajos) que las tierras o yacimientos de calidad inferior requeridos para satisfacer la demanda existente. Ver Capítulos 2 y 3 y Recuadro 3-5.

Reservas: La totalidad de un producto mineral contenido en yacimientos que son conocidos y económicos de explotar en las condiciones actuales (precios, tecnología). Ver Capítulo 3 y Figura 3-1.

Sistemas dinámicos: Método para estudiar y comprender de qué manera sistemas complejos, tales como la economía mundial, cambian a través del tiempo. Circuitos de realimentación internos dentro de la estructura del sistema rigen el comportamiento del sistema completo.

Sustentabilidad: Ver *desarrollo sustentable.*

Tendencia estacionaria: Una serie de datos a lo largo del tiempo que se revierte a la misma tendencia de largo plazo si es perturbada por algún *shock* de corto plazo. Ver Capítulo 4.

Tendencia estocástica: Una serie de datos a lo largo del tiempo que no se revierte a la misma tendencia de largo plazo si es perturbada por algún *shock* de corto plazo. Ver Capítulo 4.

Término perturbador: Variable incluida en las ecuaciones de modelos econométricos que toma en cuenta la influencia de variables omitidas, errores de medida y otros factores que hacen que el valor real de la variable dependiente se desvíe de lo esperado por la ecuación estimada. Ver Capítulo 4.

Valor de existencia: Ver *valor de no uso.*

Valor de no uso: El valor que las personas asignan a ciertos recursos (p.ej., regiones silvestres prístinas) aun cuando nunca los usen directamente (p.ej., visitar las regiones silvestres). Otros términos utilizados para indicar el valor de no uso incluyen valor de existencia, valor de uso pasivo, valor de preservación, valor de legado, valor de administración y valor intrínseco. Ver Capítulo 6.

Valor presente: El valor actual de los ingresos que se recibirán o los costos que se pagarán en el futuro. Dado que el valor temporal del dinero es positivo –en parte porque el dinero puede invertirse y ganar intereses– un dólar hoy vale más que un dólar en un año más. Las técnicas de valor presente ajustan los fondos por recibirse o pagarse en el futuro por el valor temporal del dinero y, así, indican el valor de dichas obligaciones en la actualidad. Ver Capítulo 2 y Recuadro 2-1.

Valoración contingente: Técnica para valorizar los bienes medioambientales y otros no de mercado que implica preguntarle a las personas lo que estarían dispuestas a pagar para preservar dichos bienes. Ver Capítulo 6.

ÍNDICE DE PALABRAS

En la referencia a páginas, n. indica una nota a pie de página y las letras cursivas indican recuadros *(r)*, figuras *(f)*, o tablas *(t)*.